así me gusta 1

curso de español

libro del alumno

Carme Arbonés
Vicenta González
Estrella López
Miquel LLobera

en CLAVE ELE

© de esta edición: enCLAVE-ELE, 2008
© Carme Arbonés, Vicenta González, Estrella López y Miquel Llobera

**Instituto
Cervantes**

La marca del Instituto Cervantes y su logotipo son propiedad exclusiva del Instituto Cervantes.

Este método se ha realizado de acuerdo con el Plan Curricular del Instituto Cervantes, en virtud del Convenio suscrito el 12 de marzo de 2002.

ISBN 978-84-96942-13-4   Así me gusta 1, Libro del alumno

Printed in Spain by Orymu, S.A.
Impreso en España por Orymu, S.A.
Depósito legal: M-36425-2009

Índice

Programación

0 Así empezamos

- Saludos en varios idiomas.

- Presentaciones.

- Países y nacionalidades.

- Instrucciones de clase: *Escucha; Escribe; Completa; Trabaja con tu compañero; Trabaja en grupo; Observa la gramática;* • *Consulta las tablas «Formas y funciones» o el apéndice.*

- Preguntas habituales en el aula: *¿Cómo se dice dog en español?; ¿Cómo se escribe hola en español? ¿Cómo se pronuncia…?; ¿Cómo se deletrea…?; ¿Puedes repetir?; ¿Puedes hablar más despacio, por favor?; No entiendo; ¿Qué significa la palabra información?*

- Variedades del español.

- Personajes famosos.

1 Entra en el *chat* de 'Así me Gusta'

Temas
- Identidad. • Profesiones. Nacionalidades.

Comprensión y expresión oral
- Activar el español. • Saludar y despedirse. • Pedir y dar información personal. • Hacer presentaciones.

Gramática en contexto
- Abecedario. • Números. • Verbos para presentarse (*llamarse, ser, estar, tener* y *vivir*).
- Concordancia de adjetivos (masculino / femenino).
- Así hablamos:
  - Decir la nacionalidad.
  - Decir la región, ciudad o pueblo.
  - Preguntar cómo escribir una palabra.

Textos para…
- Presentarse en un *chat*.

Culturas
- Nombres hispanos. Saludos y despedidas.

Punto de vista
- Números.

Actividad final
- Escribir una presentación con los datos personales.

Autoevaluación
- Propuesta de autoevaluación.

Apéndice
- Apartados 1, 2 y 3.

2 Elije …

Temas
- Descripción física y de carácter.
- Colores. • Ropa.

Comprensión y expresión oral
- Describir físicamente. • Describir el carácter. • Identificar a otros. • Presentar a otros. • Opinar y argumentar.

Gramática en contexto
- Verbos de descripción física (*ser, llevar, tener*). • *El que/la que* + presente. • Demostrativos (*este, ese, aquí y allí*). • Estructura *para mí* para expresar opiniones. • *Por qué* para preguntar por la causa. • Concordancia de género y de número.
- Así hablamos:
  - Identificarse con pronombres.
  - Hablar de *tú* o de *usted*.

Textos para…
- Presentar información.

Culturas
- Colores y lugares.

Punto de vista
- Objetos y profesiones.

Pausa
- *Para ti, ¿cómo es un buen estudiante?*

Actividad final
- Describir al grupo clase.

Autoevaluación
- Propuesta de autoevaluación.

Apéndice
- Apartados 4, 5, 6, 7 y 8.

6 Vete de compras

Temas
- Tiendas. • Hábitos de compra.

Comprensión y expresión oral
- Comprar. • Comparar. • Expresar cantidades. • Describir objetos, lugares y acciones.• Hablar de hábitos de compra.

Gramática en contexto
- *Qué/Cuál.* • *Estar* + gerundio. • Comparar. • Pronombres de complemento directo. • Pronombres posesivos • Intensificadores (*nada, poco, bastante, muy, mucho, demasiado*).
- Así hablamos:
  - Reaccionar ante elogios.
  - Describir un objeto.

Textos para…
- Hacer una encuesta.

Culturas
- Tiendas y mercados.

Punto de vista
- Decoración de la casa y personalidad.

Pausa
- *¿Para qué quieres aprender español? ¿Qué puedes hacer para conseguirlo?*

Actividad final
- Organizar un mercadillo virtual.

Autoevaluación
- Propuesta de autoevaluación.

Apéndice
- Apartados 13, 17, 18 y 19.

7 Cambia de trabajo

Temas
- Trabajo y profesiones.
- Conversaciones telefónicas.

Comprensión y expresión oral
- Hablar del trabajo. • Comunicarse por teléfono. • Hablar de actividades pasadas relacionadas con el presente.

Gramática en contexto
- Pretérito perfecto. • Marcadores temporales. • Pronombres de complemento directo y de complemento indirecto.
- Así hablamos:
  - Hablar de manera coloquial.
  - Hablar por teléfono.

Textos para…
- Escribir un correo electrónico.

Culturas
- Trabajos singulares. • Diferencias léxicas entre España e Hispanoamérica en la comunicación telefónica.

Punto de vista
- Trabajos y ocupaciones temporales.

Actividad final
- Hacer un informe con los resultados conseguidos en el curso de español.

Autoevaluación
- Propuesta de autoevaluación.

Apéndice
- Apartados 20 y 21.

8 Cuídate

Temas
- Salud. • El tiempo.

Comprensión y expresión oral
- Hablar sobre el tiempo. • Hablar sobre la salud. • Hablar de las sensaciones.
- Dar consejos.

Gramática en contexto
- Estructuras para hablar del tiempo.
- Estructuras para hablar del estado de salud. • Verbo *doler*. • Expresión de la condición. • Imperativo.
- Así hablamos:
  - Hablar de la salud.

Textos para…
- Comprender el lenguaje médico.

Culturas
- Remedios para la salud.

Punto de vista
- Expresiones coloquiales relacionadas con la salud.

Pausa
- *¿Cómo te sientes con tu español?*

Actividad final
- Organizar el fin de semana virtual a medida para el grupo de la clase.

Autoevaluación
- Propuesta de autoevaluación.

Apéndices
- Apartados 22 y 23.

0

Así empezamos

Hola

Hello

١ - أ هلا.

Salut

Hallo

Oi/Olá

Cześć

Привет

こんにちわ

 Escucha las presentaciones de los autores de 'Así me gusta'.

Yo me llamo Estrella y soy de Barcelona.

Hola. Me llamo Miquel y soy de Mallorca.

Hola, me llamo Carmen y soy de Tortosa.

Yo me llamo Vicenta. Soy de Barcelona.

● Y tú, ¿cómo te llamas y de dónde eres?

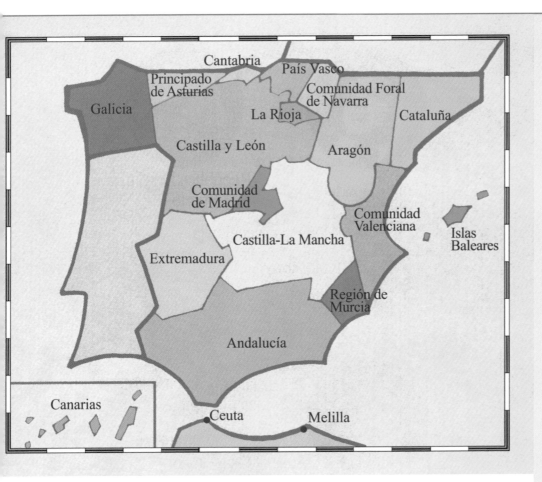

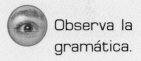

2 Escucha a estos españoles. ¿De dónde son? ¿Qué idiomas estudian?

a)_____   c)_____   e)_____
b)_____   d)_____

● En España hay varias lenguas, castellano, catalán, gallego y euskera. ¿Sabes dónde se hablan?

3 Escucha. ¿Qué idiomas hablan los siguientes estudiantes de español?

A

B

C

_____   _____   _____

_____   _____   _____

D   E

_____   _____

_____   _____

Preguntas de clase

¿Cómo se dice *dog* en español?

Como se diz *cachorro* em espanhol?
How do you say *dog* in Spanish?
Comment dit-on *chien* en espagnol?
Was heißt *Hund* auf Spanisch?
スペイン語で犬はどう言いますか。

كيف يقال كلمة **كلب** بالإسبانية؟

¿Cómo se escribe *hola* en español?

Como se escreve *oi* em espanhol?
How do you write *hello* in Spanish?
Comment s'écrit *salut* en espagnol?
Wie schreibt man *hallo* auf Spanisch?
スペイン語でこんにちわはどう書きますか。

كيف تكتب **أهلا** بالإسبانية؟

¿Cómo se pronuncia...?

Como se pronuncia...?
How do you pronounce...?
Comment se prononce...?
Wie spricht man ... aus?
... はどう発音しますか。

كيف ينطق ...؟

¿Cómo se deletrea...?

Como se soletra...?
How do you spell...?
Comment s'épelle...?
Wie buchstabiert man...?
... はどのつづりですか。

كيف تتهجى...؟

México
Guatemala Honduras
El Salvador Costa Rica
Nicaragua Panamá
Cuba
República Dominicana
Puerto Rico
Venezuela
Colombia
Ecuador
Perú
Bolivia
Paraguay
Chile
Uruguay
Argentina

4 Observa el mapa. En todos estos países se habla español con características propias.

● Escucha algunas variedades del español y marca en el mapa de dónde son las personas que hablan.

a) César es _____.

b) Yaremi es _____.

c) Carlos es _____.

d) María Aida es _____.

e) Juan es _____.

f) Eugenia es _____.

g) Teresa es _____.

5 Escucha a varios hispanos que hablan de personas famosas en sus países. ¿Quiénes son esos famosos? ¿De qué país?

a) _____   e) _____

b) _____   f) _____

c) _____   h) _____

d) _____

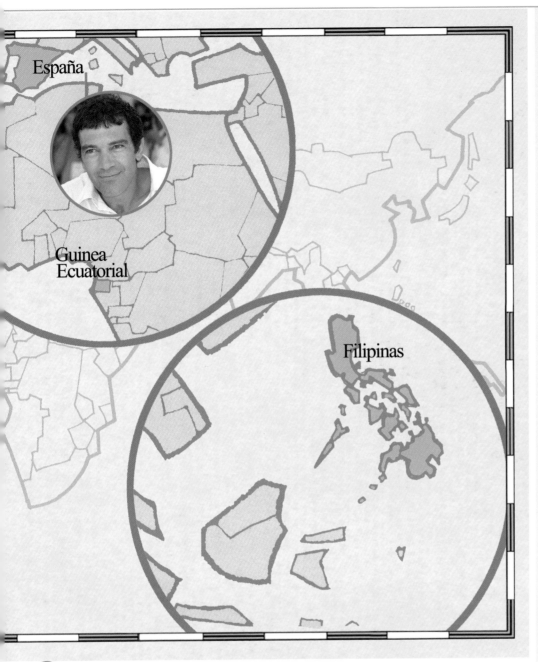

España

Guinea
Ecuatorial

Filipinas

6 ¿Sabes cómo se llaman estas personas? ¿A qué se dedican?

A

B

C

D

E

● Y tú, ¿a qué te dedicas?

Preguntas de clase

¿Puedes repetir?
Podes repetir?
Can you say that again,
please?
Tu peux répéter?
Kannst du das
wiederholen?
くり返すことができますか。

هل تستطيع أن تعيد ما قلته؟

**¿Puedes hablar más despacio,
por favor?**
Podes falar mais devagar,
por favor?
Can you speak more slowly,
please?
Tu peux parler plus
lentement, s'il-te-plaît?
Kannst du bitte langsamer
sprechen?
もう少しゆっくり話してくれませんか。

هل بإمكانك أن تتكلم رويداً من فضلك؟

No entiendo.
Não entendo.
I don't understand.
Je ne comprends pas.
Ich verstehe nicht.
分かりません。

لا أفهم ما تقول.

**¿Qué significa la palabra
información?**
Que significa a palavra
información?
What does *información*
mean?
Que signifie le mot
información?
Was bedeutet das Wort
información?
información はどういう意味ですか。

ما معنى كلمة *información*؟

Entra en el chat de Así me gusta

1 ¿Qué palabras conoces?

AÑOS apellido **profesión** man**O** *arquitecto*

nacionalidad gracias MÉDICO LIBRO ca**ll**e

ESTUDIA familia Buenos Aires *profesor*

concursante ALUMNO *García* pensionista **danés** soy

enfermera **hola** secretaria *información* Lima club

PREGUNTA taxi **buenas tardes** La Habana nombre hoy ¿cómo estás?

italiano BUENO *estudio* Madrid RESPUESTA *vacaciones*

se llama muy bien *encuesta* Barcelona paella YO

ordenador ejercicio **japonés** Sevilla por favor

Caracas PLAYA viaje buenos días *coche* López

hasta luego **Lanzarote** *chao* CINE *actor* *adiós*

BESO rusa *universidad* Perú carné **tú** bar

aeropuerto Luis CASA **hombre** pasaporte ANA

VIVE *escribe* VINO trabajo española SOL

2 Escucha y marca en la imagen las palabras de la audición.

3 ¿Conoces otras palabras en español? ¿Cuáles?

• Activar el español • Saludar y despedirse • Pedir y dar información personal • Hacer presentaciones

Comprensión y expresión oral

4 ¡*Hola*! es un saludo. ¿Conoces otros saludos en español?

5 Escucha y relaciona las fotografías con los diálogos.

6 Clasifica los siguientes saludos y despedidas.

Saludos: *Hola...*

Despedidas:

> ¿Qué tal?   Adiós
> Buenos días   Hasta luego
> Buenas tardes   Hasta mañana
> Hasta pronto   Hola
> Buenas noches   ¿Cómo estás?

7 Mira las fotografías de la actividad 5. ¿Qué situaciones son formales? ¿Y cuáles informales? ¿Qué saludos se pueden emplear?

8 Utiliza saludos y despedidas de la actividad 6 para las fotografías *a* y *b*.

● Ahora escribe tú un saludo o despedida para las fotografías *c* y *d*.

• Activar el español • Saludar y despedirse • Pedir y dar información personal • Hacer presentaciones

9 Escucha las presentaciones y marca en la tabla la información de los concursantes 2 y 3.

El concursante 1 se llama Gonzalo Cano, tiene 35 años, es economista y es de Málaga, pero vive en Madrid.

	Concursante 1	Concursante 2	Concursante 3
Gonzalo Cano	X		
Enrique Camino			
Eulalia Márquez			
Estudiante de arquitectura			
Economista	X		
Policía			
Treinta y dos años			
Veinte años			
Treinta y cinco años	X		
Lanzarote			
Madrid	X		
Zamora			

10 Presenta a tu compañero a los concursantes 2 y 3. Utiliza la información de la actividad 9 y estos verbos:

es   tiene   se llama   vive

Ejemplo: *La concursante número 2 se llama…*

11 Observa la imagen. Completa la nacionalidad y la profesión de estas personas.

Andrea es _____ y es _____.
Ingrid es _____ y es _____.
Laurent es _____ y es _____.

Gramática
Formas y funciones

12 Escucha los mensajes del contestador automático y completa.

• Hola. Soy María. Te dejo mi número de móvil. _____. Llámame. ¿Vale?

• Juan, mi número de fax es el _____. Si quieres, puedes mandarme el documento por correo electrónico.
Mi dirección es: _____@_____.es

13 ¿Cómo se llaman tus compañeros? Haz la lista de la clase y pregunta a tus compañeros esta información.

nombre	nacionalidad	correo electrónico
profesión	edad	teléfono

14 ¿Cuántas nacionalidades hay en la clase? ¿Cuántas profesiones diferentes?

Gramática en contexto

Observa la gramática de los textos.

Presentador: *Buenas noches, empezamos el concurso de hoy «¿Qué nos gusta más?» El primer concursante* **se llama Gonzalo Cano**, *tiene* **treinta y cinco años, es economista** *y* **es de Málaga**, *pero* **vive en Madrid**.
¿Cómo estás Gonzalo?
Concursante: *Muy bien, gracias.*

Así hablamos

Decir la nacionalidad (o la región, ciudad o pueblo):

—¿De dónde eres?
—Soy español.

—Soy sudanesa, de Jartum.
—Soy español, de Toledo.

Preguntar cómo escribir una palabra:

—¿Cómo se escribe hola en español?
—Se escribe con h.

—¿Cómo se escribe tu apellido, con g o con j?
—Jiménez, con j.

Observa: Cuando deletreamos, solo especificamos las letras que se pueden confundir (*g/j, b/v, c/z/s*) y si la palabra se escribe con *h* o sin ella.

Formas y funciones

ABECEDARIO

NÚMEROS

1 *uno*	17 *diecisiete*
2 *dos*	18 *dieciocho*
3 *tres*	19 *diecinueve*
4 *cuatro*	20 *veinte*
5 *cinco*	21 *veintiuno*
6 *seis*	30 *treinta*
7 *siete*	31 *treinta y uno*
8 *ocho*	40 *cuarenta*
9 *nueve*	41 *cuarenta y uno*
10 *diez*	50 *cincuenta*
11 *once*	60 *sesenta*
12 *doce*	70 *setenta*
13 *trece*	80 *ochenta*
14 *catorce*	90 *noventa*
15 *quince*	100 *cien*
16 *dieciséis*	

VERBOS

LLAMARSE	SER	ESTAR
me llamo	*soy*	*estoy*
te llamas	*eres*	*estás*
se llama	*es*	*está*
nos llamamos	*somos*	*estamos*
os llamáis	*sois*	*estáis*
se llaman	*son*	*están*

TENER	VIVIR
tengo	*vivo*
tienes	*vives*
tiene	*vive*
tenemos	*vivimos*
tenéis	*vivís*
tienen	*viven*

GÉNERO

• Masculino y femenino:

italiano	*italiana*
danés	*danesa*
belga	*belga*
abogado	*abogada*
profesor	*profesora*
estudiante	*estudiante*

En parejas, elige uno de estos apellidos.
Específica a tu compañero cómo se escribe.

Jiménez	Giménez
Pérez	Peres
Llobera	Llovera
Espinosa	Espinoza

Fíjate y escucha.

• ¿Cómo se escribe?

• ¿Cómo se dice *guten tag* en español?

• ¿Qué significa?

• No entiendo. ¿Puedes repetir, por favor?

• Más alto, por favor.

• Más despacio, por favor.

Apéndice
Apartados 1, 2 y 3
(páginas 112 y 113)

Textos para...

...presentarse en un chat

15 Lee las intervenciones de estos participantes en un *chat*.

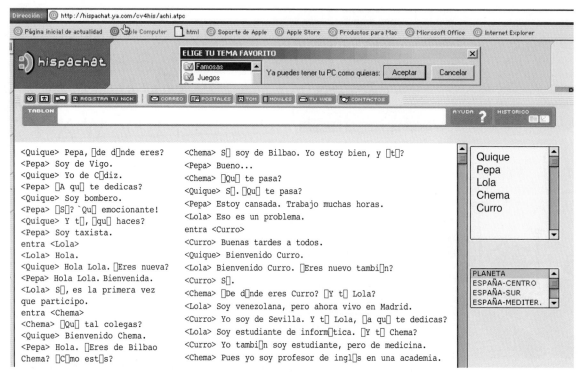

Dirección: @ http://hispachat.ya.com/cv4his/achi.atpc

@ Página inicial de actualidad @ ...ble Computer □ html @ Soporte de Apple @ Apple Store @ Productos para Mac @ Microsoft Office @ Internet Explorer

hispachat

ELIGE TU TEMA FAVORITO
☑ Famosas
☑ Juegos
Ya puedes tener tu PC como quieras: [Aceptar] [Cancelar]

⊘ 🄰 💬 🄽 REGISTRA TU NICK ✉ CORREO 🖼 POSTALES 🄱 TOM 🄼 MOVILES 🖥 TU WEB 👥 CONTACTOS

TABLON AYUDA ? HISTORICO

<Quique> Pepa, □de d□nde eres?
<Pepa> Soy de Vigo.
<Quique> Yo de C□diz.
<Pepa> □A qu□ te dedicas?
<Quique> Soy bombero.
<Pepa> □S□? `Qu□ emocionante!
<Quique> Y t□, □qu□ haces?
<Pepa> Soy taxista.
entra <Lola>
<Lola> Hola.
<Quique> Hola Lola. □Eres nueva?
<Pepa> Hola Lola. Bienvenida.
<Lola> S□, es la primera vez
que participo.
entra <Chema>
<Chema> □Qu□ tal colegas?
<Quique> Bienvenido Chema.
<Pepa> Hola. □Eres de Bilbao
Chema? □C□mo est□s?

<Chema> S□ soy de Bilbao. Yo estoy bien, y □t□?
<Pepa> Bueno...
<Chema> □Qu□ te pasa?
<Quique> S□. □Qu□ te pasa?
<Pepa> Estoy cansada. Trabajo muchas horas.
<Lola> Eso es un problema.
entra <Curro>
<Curro> Buenas tardes a todos.
<Quique> Bienvenido Curro.
<Lola> Bienvenido Curro. □Eres nuevo tambi□n?
<Curro> S□.
<Chema> □De d□nde eres Curro? □Y t□ Lola?
<Lola> Soy venezolana, pero ahora vivo en Madrid.
<Curro> Yo soy de Sevilla. Y t□ Lola, □a qu□ te dedicas?
<Lola> Soy estudiante de inform□tica. □Y t□ Chema?
<Curro> Yo tambi□n soy estudiante, pero de medicina.
<Chema> Pues yo soy profesor de ingl□s en una academia.

Quique
Pepa
Lola
Chema
Curro

PLANETA
ESPAÑA-CENTRO
ESPAÑA-SUR
ESPAÑA-MEDITER.

16 Ahora completa las siguientes fichas con la información de cada participante.

Dolores Chávez

Es venezolana, pero

ahora _____ en

Madrid.

Es _____ de

informática.

Apodo: _____

Enrique Jiménez Cuenca

Es de Cádiz y es _____

Tiene treinta y cuatro años.
Apodo: Quique

Mª José Iribarne Blanco

_____ de Vigo.

_____ taxista.

_____ muy

cansada, trabaja muchas horas.

Apodo: _____

José María Saratxo

Es de Bilbao.

Es _____

en una academia.

_____ treinta años.

Apodo: _____

Francisco Alegre Díaz

Es de _____. _____ de

medicina. Tiene veinticinco _____.

Apodo: _____.

• Activar el español • Saludar y despedirse • Pedir y dar información personal • Hacer presentaciones

Culturas

17 Escribe con tus compañeros una lista de nombres españoles de mujer y de hombre. Gana el grupo que escribe más nombres.

Nombres ♀ : _____

Nombres ♂ : _____

18 Relaciona estos nombres con su correspondiente forma familiar o apodo.

(Montse)   (José María)

(Juanjo)   (Mercedes)

(Francis)   (José)

(Pepe)   (Juan José)

(Merche)   (Montserrat)

(Josema)   (Francisca)

Apodos frecuentes:

Quique es Enrique   Nacho es Ignacio
Chema es José María   Pepa es María José o Josefa
Charo es Rosario   Lola es Dolores
Curro, Pancho o Paco es Francisco   Manolo es Manuel

También se puede acortar el nombre:

Toni es Antonio   Maribel es María Isabel
Inma es Inmaculada   Marisa es María Luisa
Fran es Francisco   Manu es Manuel

Es frecuente la combinación María + nombre. Normalmente María se escribe Mª:

María Dolores es Mª Dolores

En Iberoamérica son más comunes los nombres compuestos:

Estela del Carmen, Luis Enrique, Francisco Antonio, José Rafael, Bárbara Patricia, etc.

19 Y en tu país, ¿es igual? ¿Cambia tu nombre? ¿Cómo te llaman en casa? ¿Cómo te llaman tus amigos?

20 Contacto y distancia física en saludos y despedidas. ¿En tu país es igual o diferente?

21 Busca el nombre escondido en esta adivinanza.

En este banco hay un padre y un hijo. El padre se llama Juan. ¿Cómo se llama el hijo?

Punto de vista

22 Observa estas dos fotografías y contesta a estas preguntas:
- ¿Cuántas puertas hay en la imagen *a*?
- ¿Cuántas fotografías y cuadros hay en la imagen *b*?
- ¿Cuántas personas hay en la clase?

23 Lee estos números.

NÚMEROS PARA DAR INFORMACIÓN

Hotel cinco estrellas   Cinco tenedores   Número de lotería   Número de matrícula   Número de código postal   Un año de edad

NÚMEROS PARA DAR NOMBRE A LAS COSAS

Trébol de cuatro hojas   4 × 4   El 15, el 20   La 237   El IB 7437

NÚMEROS PARA JUGAR   NÚMEROS IMPORTANTES PARA LA CULTURA

Con un seis y un cuatro, la cara de tu retrato   Tres, dos, uno, ¡ya!   Dos besos   Dos apellidos   El número trece

- ¿Hay números especiales en tu cultura?
- ¿Tienes un número de la buena suerte? ¿Cuál es?

• Activar el español • Saludar y despedirse • Pedir y dar información personal • Hacer presentaciones

Actividad final

Objetivo

Escribir una presentación con tus datos personales para una página de Internet o un póster para la clase.

Procedimiento

1 Completa la ficha que aparece a la derecha con tus datos personales.

2 Prepara la presentación solo o con tus compañeros. Recuerda toda la información de esta unidad.

3 ¿Cómo presentas tu información?

✓ en un vídeo

✓ en una cinta de casete

✓ en una página de Internet

4 Prepara tu presentación.

¡Hola, amigos de 'Así me gusta'!
Me llamo...

¡Así me gusta!
club de amigos

NOMBRE / APODO

NACIONALIDAD

EDAD

DIRECCIÓN

PROFESIÓN

DIRECCIÓN ELECTRÓNICA

Reflexión y puesta en común

¿QUÉ TAL TU PRESENTACIÓN?

Preparar la información.			
Hablar con los compañeros.			
Comprender a los compañeros.			
Escribir la información.			
Hacer la presentación.			

• Activar el español • Saludar y despedirse • Pedir y dar información personal • Hacer presentaciones

Autoevaluación

1

¿Puedo escribir la pregunta para estas respuestas? ☺ *Sí* ☹ *No* → *(páginas 14 y 16)*

– Javier. _____

  – Veintitrés. _____

  – Venezolano. _____

  – Actor. _____

  – Sí, es el 3458966. _____

2 ¿Puedo completar el siguiente texto?
    ☺ *Sí* ☹ *No* → *(páginas 13 y 16)*

3 ¿Puedo escribir una presentación similar de una persona famosa de mi país?
    ☺ *Sí* ☹ *No* → *(páginas 13 y 16)*

Te presentamos a una de las actrices españolas más famosas.
Se llama Penélope Cruz, _____ de Madrid _____ unos treinta años y _____ una actriz muy famosa y muy guapa.
Ahora _____ en España y también en EEUU.

_____
_____
_____
_____
_____
_____
_____
_____
_____

4 ¿Puedo reconocer si estos saludos son posibles en España entre españoles? ☺ *Sí* ☹ *No* → *(páginas 12 y 17)*

5 ¿Puedo completar las siguientes fichas? ☺ *Sí* ☹ *No* → *(página 17)*
Escribe cinco profesiones, cinco nacionalidades, cinco acciones y cinco saludos o despedidas.

Profesiones	Nacionalidades	Acciones	Saludos o despedidas
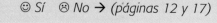			

2 Elige...

1 Observa las fotografías.

–Yo soy alta.
–Yo soy bajo.

–Yo soy morena.
–Yo soy rubio.

–Yo llevo barba.
–Yo llevo bigote.

–Yo tengo los ojos azules. –Yo llevo gafas.

–Yo llevo el pelo largo.
–Yo llevo el pelo corto.

–Yo...
–Yo...

● Completa la descripción de las personas que aparecen en la última fotografía.

• <u>Describir físicamente</u> • Describir el carácter • Identificar a otros • Presentar a otros • Opinar y argumentar

Comprensión y expresión oral

2 Escucha el diálogo y marca (✓) cómo es el chico.

- Es alto. ☐
- Es rubio. ☐
- Es moreno. ☐
- Es bajo. ☐
- Lleva barba. ☐
- Lleva bigote. ☐
- Lleva gafas. ☐
- Tiene los ojos marrones. ☐
- Tiene los ojos azules. ☐

● Y tú, ¿cómo eres? Señala tres características.

Soy _____

Llevo _____

Tengo _____

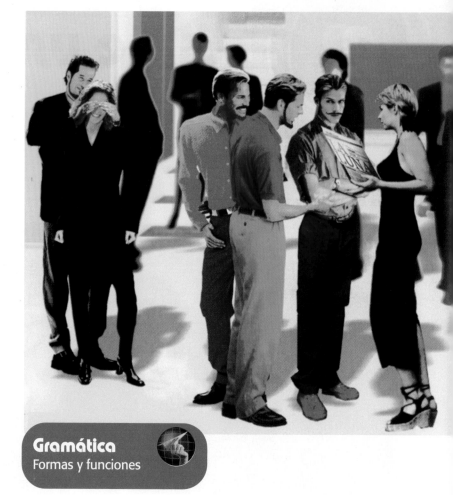

Gramática
Formas y funciones

3 Escucha la conversación y escribe qué significan los colores para el artista.

Para el artista el color  es _____

es _____

es _____

es _____

4 ¿Cuál es tu color favorito?

Ejemplo: *Mi color favorito es...*

5 ¿Qué significan los colores para ti? Asocia cada color a un adjetivo.

Ejemplo: *Para mí el color rojo es alegre, vital...*

triste · tranquilo · extrovertido · natural · sofisticado · alegre · aburrido · divertido · amarillo · naranja · marrón · blanco · verde · rosa · gris · azul · negro · violeta · rojo

• Describir físicamente • Describir el carácter • Identificar a otros • Presentar a otros • Opinar y argumentar

6 Elige ropa del catálogo para ir a la exposición.

Artículo: Color:

exposición

¡VIVA EL COLOR!

también en amarillo

otros colores azul y marrón

en todos los colores

también en negro

también con rayas verdes

en todos los colores

---

7 ¿Quién es el artista? Escucha el diálogo y marca la opción correcta.

– El que lleva pantalones verdes. ☐
– El que lleva bigote. ☐
– El que lleva pantalones rojos. ☐
– El que lleva pantalones azules. ☐

– El que lleva la camisa azul. ☐
– El que lleva la camisa verde. ☐
– El que lleva zapatos azules. ☐
– El que lleva zapatos rojos. ☐

● Ahora señala en la imagen de la exposición quién es el artista.

Gramática
Formas y funciones

8 ¿Quién dice qué? Relaciona estos diálogos con la gente que aparece en la imagen.

a
– Buenos días, soy Antonia Pérez del periódico *La Luna*.
– Hola, ¿qué tal?
– Bien, gracias.

b
– Antonia, este es Pedro Malaquías, el artista.
– Encantada.
– Encantado. Mucho gusto.
– Y este es Juan, un amigo del artista.
– Encantada.

9 Adivina quién es. La clase se divide en dos grupos.

Grupo A: Describe a dos personas del otro grupo.

Grupo B: Adivina quiénes son esas personas.

Gramática en contexto

Observa la gramática de los textos.

Chica 1: *El artista, ¿quién es?*
Chica 2: **Es ese.**
Chica 1: *¿Quién es?*
Chica 2: *El que lleva bigote.*
Chica 1: *Hay dos con bigote.*
Chica 2: *Es verdad.* **El que lleva los pantalones azules.**
Chica 1: *¿Y la camisa rosa?*
Chica 2: *No, ese no. El que lleva la camisa verde claro.*
Chica 1: *¿Y los zapatos rojos?*
Chica 2: *Exacto, ese es. Sí, ese es.*
Chica 1: *Pues, no* **es muy discreto** *en su forma de vestir.*

Este, ese, aquí, ahí

Describir

Así hablamos

Identificarse con pronombres:

Profesor: *¿Y tú cómo te llamas?*
Estudiante: *Me llamo Antonio.*

Profesor: *¿Cómo te llamas?*
Estudiante 1: *Me llamo Adriana.*
Profesor: *¿Y tú?*
Estudiante 2: *¿Yo?*
Profesor: *Sí, tú.*
Estudiante 2: *Yo, Antonio.*

Observa: Compara el uso de los pronombres en los dos diálogos. Fíjate, en el segundo diálogo el pronombre es necesario para la identificación.

Hablar de *tú* o de *usted*:

—*¿Qué tal? ¿Cómo está usted?*
—*Bien, pero tutéame, por favor.*
—*Bueno, pues ¿cómo estás?*
—*Bien, y ¿tú?*

Observa: En España existen dos formas, una formal (*usted/ustedes*) y otra informal (*tú/vosotros*).

Observa: *Tutear* significa hablar a otra persona de *tú*.

Identificar a personas por una característica

> ¿SABES QUIÉN SOY YO?
>
> EL QUE LLEVA EL PELO CORTO Y GAFAS.
>
> PUESSSSSS...
>
> ¡QUÉ ALTO!

Intensificadores

| | BAJITA | NORMAL | ALTA | BASTANTE ALTA | MUY ALTA |

2 m.
1,9 m.
1,8 m.
1,7 m.
1,6 m.
1,5 m.

¿En español sabes cuándo se utilizan las formas *tú* y *usted*?

● Indica con qué personas o en qué situaciones utilizas *tú* y *usted*.

Ejemplo: Con un amigo hablo de tú.
En la consulta del médico hablo de usted.

Y en tu país, ¿existen dos formas de hablar según el grado de formalidad?

Formas y funciones

DESCRIBIR

• Físico:

SER

muy
bastante
poco
no ser nada

+

alto/bajo
gordo/delgado
joven/viejo
rubio/moreno

TENER

ojos azules
ojos verdes
ojos marrones
nariz
boca } ← grande(s)
orejas } pequeña (s)

LLEVAR

pelo largo/corto

bigote
barba
gafas
camiseta
pantalón
vestido
sombrero

• Carácter:

SER + adjetivo : *María es simpática, alegre y extrovertida.*

IDENTIFICAR A PERSONAS POR UNA CARACTERÍSTICA

El que lleva gafas es Juan.
La que tiene el pelo negro es Irene.

EXPRESAR OPINIÓN

Para mí el color rojo es alegre.

EXPRESAR RELACIÓN ENTRE DOS PERSONAS

Este es el amigo del artista.

EXPRESAR RELACIÓN ENTRE PERSONAS Y OBJETOS

Este es el coche de Juan.

PREGUNTAR POR LA CAUSA

¿Por qué? pregunta por la causa o razón:
  ¿Por qué estudias español?
  Porque quiero viajar: (porque + presente)
  Para viajar y para conocer gente. (para + infinitivo)

GÉNERO Y NÚMERO

• Singular/plural:

falda	faldas	reloj	relojes	verde	iraní
rojo	rojos	azul	azules	verdes	iraníes

• Género invariable:

rosa	verde	naranja	azul
			marrón
			gris
			violeta.

Apéndice
Apartados 4, 5, 6, 7 y 8
(páginas 113-116)

Textos para...

...presentar información

10 Para ti, ¿cómo es el español?

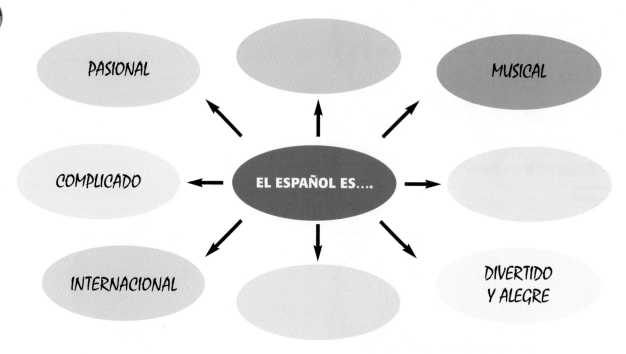

PASIONAL

MUSICAL

COMPLICADO

EL ESPAÑOL ES....

INTERNACIONAL

DIVERTIDO Y ALEGRE

● Compara la información con tus compañeros.

11 Lee este texto.

Muchas personas estudian español en el mundo

La gente habla español en muchos países, por eso muchas personas aprenden español en el mundo.

En Iberoamérica, en todos los países hablan español, pero no en Brasil. Allí la gente habla portugués. Lo s brasileños también estudian español en las escuelas para comunicarse, para viajar y porque quieren hacer negocios y trabajar con los países que hablan español y que forman la organización MERCOSUR. En Estados Unidos el español es la lengua extranjera que más se habla y más se estudia. Allí muchos medios de comunicación como los periódicos, cadenas de televisión o emisoras de radio son exclusivamente en español.

En general, muchas personas en el mundo estudian español.

¿Por qué? Hay muchas razones: unos para encontrar trabajo, para viajar, para conocer la cultura, el arte o la música hispana. Otros para hablar con amigos españoles o iberoamericanos o porque quieren estudiar en algunos de sus países. También muchas personas estudian español porque trabajan en algún país de habla hispana o porque tienen un novio o una novia que habla español, o simplemente porque les gusta la lengua.

● Y tú, ¿por qué estudias español?

Ejemplo: Yo estudio español porque... y para...

● Y la gente en tu país, ¿estudia español? ¿Y otras lenguas?

• Describir físicamente • Describir el carácter • Identificar a otros • Presentar a otros • Opinar y argumentar

Culturas

12 Colores para identificar lugares. ¿Hay ejemplos parecidos en tu país?

Pueblos Blancos

España verde

Casa Rosada Argentina

Costa Dorada

Costa Blanca

13 Completa el nombre de estos colores a partir de la información de cada imagen.

azul *cielo*_____

amarillo_____

verde_____

gris_____

verde_____

● Y en tu lengua, ¿estos colores se llaman de la misma forma?

• Describir físicamente • Describir el carácter • Identificar a otros • Presentar a otros • Opinar y argumentar

Punto de vista

14 Muchas veces se puede definir a las personas por los objetos que utilizan normalmente en su profesión u ocupación. ¿A qué se dedican las personas de las fotografías *a-b*?

● También se pueden identificar profesiones por la ropa. ¿Qué profesión tienen las personas de las fotos *c* y *d*?

   Ejemplo: *Uno es... porque lleva... y el otro...*

● También se pueden definir a las personas por una característica física o por la ropa que llevan

   Ejemplo: *Pinocho es famoso porque tiene... y Caperucita roja porque...*

15 Piensa en diferentes profesiones y personajes famosos. Tu compañero te hace preguntas para adivinar qué profesiones o personajes son. Tú solo puedes contestar *sí* o *no*.

   Ejemplo:

   Alumno A: *¿Lleva un uniforme de color blanco, camisa blanca y pantalón blanco?*
   Alumno B: *Sí.*
   Alumno A: *¿Es una enfermera?*
   Alumno B: *No.*
   Alumno A: *¿No? Pues, ¿es un médico?*
   Alumno B: *Sí, es un médico.*

Pausa

Para ti, ¿cómo es un buen estudiante? Marca las definiciones adecuadas.

• hablador	• serio	• tranquilo	• tímido	• trabajador
• abierto	• cerrado	• aburrido	• ambicioso	• nervioso
• paciente	• meticuloso	• tolerante	• simpático	• divertido

● Habla sobre tu elección con tus compañeros. ¿Opináis igual o diferente?

recuerda   La motivación es importante. ¡Poco a poco y adelante!

• Describir físicamente • Describir el carácter • Identificar a otros • Presentar a otros • Opinar y argumentar

Actividad final

Objetivo

Hacer la presentación del grupo de la clase según sus características.

Procedimiento

Necesitáis una cartulina o una hoja de papel grande.

1 Escribid alrededor del papel vuestros nombres y un adjetivo que describa vuestra personalidad.

2 Escribid por qué y para qué estudiáis español.

3 Elegid los colores del grupo.

Soy Peter. Soy tímido. Soy Mary. **Soy extrovertida.** Soy Caterina. Soy alegre.

Queremos estudiar español para viajar, leer, ver películas en español y porque queremos conocer gente, aprender otro idioma...

Los colores del grupo son:

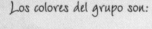

Soy Sean. Soy atractivo. Soy...

Reflexión y puesta en común

¿QUÉ TAL VUESTRA PRESENTACIÓN?

- Definir el carácter.
- Explicar por qué y para qué estudiáis español.
- Encontrar intereses similares como grupo.

• Describir físicamente • Describir el carácter • Identificar a otros • Presentar a otros • Opinar y argumentar

1 ¿Puedo agrupar los siguientes adjetivos?

alto, inteligente, pasional, complicado, bajo, moreno, introvertido, rubio, triste, serio, divertido, gordo

Carácter:

Físico

SÍ   No (página 22)

2 ¿Qué digo en estas situaciones?

• Te presentan a un compañero de clase: _____
• Te presentan a un profesor: _____
• Te presentan a los padres de un amigo: _____

SÍ   No (página 23)

3 ¿Puedo detectar errores en un texto? Ayuda a tu compañero a corregir esta nota. Hay dos errores.

Hola, Mª José, ¿qué tal?, ¿cómo está? Tengo un teléfono nuevo, es
un móvil muy moderna. Mi número es el 985 724 046.
                                                                        Pepe

SÍ   No (páginas 24 y 25)

4 ¿Qué verbos necesito para describir el físico y el carácter de una persona?

SÍ   No (páginas 21 y 25)

5 ¿Sé hablar del carácter o del aspecto físico de una persona?
Forma frases relacionando elementos de las tres columnas.

Ella	lleva	bigote
Estos chicos	es	una chaqueta roja
El artista	somos	gafas
Nosotros	tienen	unos zapatos nuevos
Vosotros	lleváis	extrovertidos

SÍ   No (páginas 21, 22 y 23)

6 ¿Sé describir a personas? Describe a un chico y a una chica.

7 ¿Qué digo para opinar?

SÍ   No (páginas 25 y 26)

SÍ   No (páginas 21, 22 y 23)

Dime
qué te gusta

1 Escucha estos sonidos. ¿Son positivos o negativos para ti?

a)_____ b)_____ c)_____ d)_____ e)_____

2 Escucha y relaciona los diálogos con las fotografías.

1

2

3

4

5

3 Y a ti, ¿qué te gusta?
¿Qué no te gusta?

• Expresar gustos • Hablar de las aficiones • Reaccionar frente a gustos • Expresar agradecimiento

Comprensión y expresión oral

4 Escucha y relaciona los diálogos con las fotografías.

5 Escucha otra vez y completa las frases.

a) ¡Qué bueno! _____ el helado.

b) ¿Nadar ahora? ¡Ah no!, yo no me meto. _____ el agua fría.

c) _____ los lunes, el tráfico, los coches.

d) ¡Ay Alejandro Sanz! _____.

e) Pues, la verdad, esta música puede ser muy buena, pero a mí _____.

Gramática
Formas y funciones

6 Clasifica las expresiones de la actividad anterior y completa los espacios de la ilustración.

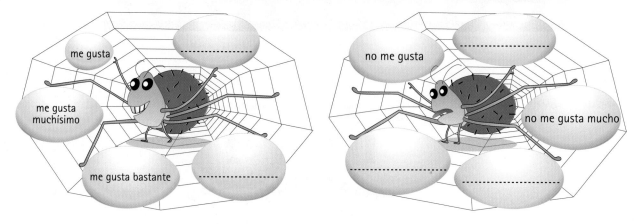

me gusta

me gusta muchísimo

me gusta bastante

no me gusta

no me gusta mucho

• Expresar gustos • Hablar de las aficiones • Reaccionar frente a gustos • Expresar agradecimiento

7 Imagina qué les gusta a las personas de las imágenes *a-d*.

ir de copas   la ópera   pasear   los conciertos   los gatos
los deportes   correr   los niños   leer   la lluvia
charlar/hablar con amigos   el cine   los animales   los perros   los dulces

● Ahora escucha y comprueba. ¿Tienen los mismos gustos?

8 Escucha y señala. ¿Tienes los mismos gustos que las siguientes personas?

a) _Pues a mí me gusta..._
b) _____
c) _____
d) _____
e) _____
f) _____
g) _____

Gramática
Formas y funciones

 me gusta    a mí también    a mí, no

 no me gusta   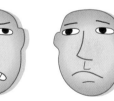 a mí tampoco    a mí, sí

9 ¿Y a ti? ¿Qué te gusta? Completa las listas según tus gustos.

Me encanta	Me gusta mucho	Me gusta	No me gusta	No me gusta nada
	El cine			
La playa				

10 Compara tus listas con las de tu compañero.

• Expresar gustos • Hablar de las aficiones • Reaccionar frente a gustos • Expresar agradecimiento

Gramática en contexto

 Observa la gramática de los textos.

Expresar gustos

El primer plato después del curso de cocina…

¿TE GUSTA?

SÍ, ME GUSTA MUCHÍSIMO, ESTÁ MUY BUENO.

¿ES BONITO, VERDAD?

SÍ, ME GUSTA MUCHO.

El primer jersey después del curso de labores…

El primer cuadro después del curso de pintura…

¿OS GUSTA MI CUADRO?

SÍ, PAPÁ, ES UN…, MUY BONITO. NOS GUSTA MUCHO.

¿QUÉ TAL, OS GUSTA?

SÍ, CLARO, QUÉ BIEN SUENA, QUÉ BIEN TOCAS. NOS GUSTA MUCHO.

El primer concierto después del curso de guitarra…

El primer día después del curso de jardinería…

¿OS GUSTA CÓMO QUEDA EL SETO?

PUES…, MUY ORIGINAL.

¡QUÉ BIEN CANTA LA NIÑA! ¿TE GUSTA?

SÍ, SÍ, LA LETRA ES MUY BONITA.

El primer recital de canto…

Así hablamos

Resaltar informaciones:

–¿Te gusta viajar?
–¿Viajar?, ¿a mí?
–Sí, sí, a ti.
–Pues…, a ver…, no sé… Me gusta viajar, conocer otros países, otra gente, pero no me gustan los aeropuertos, ya sabes, esperar en los aeropuertos…, eso no me gusta nada, es que no soporto esperar.

–¿Te gusta viajar?
–Me gusta viajar, conocer otros países, otra gente, pero no me gusta esperar en los aeropuertos. No soporto esperar.

Observa: Compara estas conversaciones. Observa que en el primer diálogo aparecen palabras que no están en el segundo. ¿Cuáles? Esas palabras que se repiten sirven para comprobar que comprendemos la pregunta o para hacer tiempo mientras pensamos la respuesta.

Chica 1: *¡Mira, mira! Es Marta.*
Chica 2: *Sí, y con un novio nuevo.*
Chica 1: *¡Qué feo es!*
Chica 2: *Pues **a mí me gusta**, es como Antonio Banderas.*
Chica 1: *¡Qué dices!*

Reaccionar frente a gustos de otros

Cuando hablamos, repetimos algunas palabras como *bueno, pues, a ver, es que,* etc.

¿Utilizas estas palabras cuando hablas español? ¿Y tus compañeros?

Formas y funciones

EXPRESAR GUSTOS

- **Verbos GUSTAR y ENCANTAR:**
  (A mí) me gusta/n
  (A ti) te gusta/n
  (A él) le gusta/n
  (A nosotros) nos gusta/n
  (A vosotros) os gusta/n
  (A ellos) les gusta/n

- **Me gusta/encanta + nombre singular:**
  –¿Te gusta el verano?
  –Sí, me encanta.

- **Me gusta/encanta + verbo:**
  Me encanta/me gusta ir a la playa.

- **Me gustan/encantan + nombre plural:**
  Me gustan las playas con poca gente.

- **Verbo SOPORTAR:**
  soporto
  soportas
  soporta
  soportamos
  soportáis
  soportan

  No soporto el tráfico.
  No soporto los lunes.

REACCIONAR FRENTE A GUSTOS DE OTROS

Estar de acuerdo:	No estar de acuerdo:
A mí también.	*A mí sí.*
A mí tampoco.	*A mí no.*

GRADATIVOS

Este cuadro me gusta muchísimo. (✓✓✓✓✓)
Este cuadro me gusta mucho. (✓✓✓✓)
Este cuadro me gusta bastante. (✓✓✓)
Este cuadro no me gusta mucho. (✓✓)
Este cuadro no me gusta. (✓)
Este cuadro no me gusta nada. (Ø)

Apéndice
Apartados 9 y 10
(página 117)

Textos para...   ...hacer descripciones

11 ¿Qué figura te gusta más? Escoge una.

1   2   3   4   5   6   7

12 Ahora lee estas descripciones.

1. Eres especial. Eres idealista y sensible. Te gusta la música clásica y la perfección. Te encanta la pintura realista. No te gusta el rock ni el arte abstracto. No soportas la rutina ni la monotonía.

2. Tu vida es un caos. Te gustan los extremos: estar solo y con mucha gente, el mar y la montaña, el campo y las grandes ciudades, la carne y el pescado. Tu vida está llena de problemas y de decisiones.

3. No, no es un pájaro. Es un tres al revés. Así es tu vida. No te gusta el alcohol, y tus amigos te regalan vino. No te gusta bailar, y trabajas en una discoteca. Te gustan los/las morenos/as y tu pareja es rubio/a.

4. Eres ordenado, pero no mucho. Te gusta la puntualidad, pero no mucho. Te gusta trabajar, pero solo tres días por semana. Te gustan las aventuras, pero controladas. Te gustan los libros, pero con pocas páginas. Te gusta…, pero…

5. Eres el centro del Universo. Te gusta tu casa, tu coche, tus amigos, tu ropa, tus discos, tu familia. Te gustan tus cosas. Te gusta todo lo tuyo. ¡Te gustas mucho! Eres fantástico.

6. La vida es difícil. Te gustan las matemáticas. Te gusta escalar montañas muy altas. Te gusta el tráfico. Te gustan las películas extranjeras subtituladas. ¡Qué complicado eres!

7. Tu vida está llena de paz y armonía. Te gusta el equilibrio, la buena comida, los buenos vinos, charlar con tus amigos, las fiestas familiares… Eres perfecto.

● ¿Estás de acuerdo o no? Háblalo con tus compañeros de grupo. ¿Os gustan las mismas cosas?

13 Lee el siguiente texto. Completa el texto sobre Lucrecia con la información de los dos recuadros.

Lucrecia es una cantante cubana que vive en Barcelona. Su música es una mezcla de música caribeña, pop, *rap* y canciones melódicas. Es una persona muy extrovertida, alegre y cariñosa. Lleva un peinado muy original.
1. Le gusta ser espontánea.
2. Antes de cantar le gusta hacer flexiones para relajarse.
3. No le gusta la gente introvertida.
4. Su rincón favorito es su cama.
5. Le encanta el chocolate.

LE GUSTA / DETESTA
Vicio: chocolate / hacer ejercicio
Actividad cotidiana: ver la televisión / planchar
Música: salsa / rock
Estilo de vida: vida tranquila / agitada

LE GUSTA / DETESTA
Músico: Celia Cruz / Silvio Rodríguez
Actor: Tom Cruise / Bruce Willis
Comida: pasta / verdura

14 Ahora tú. Prepara un cuestionario como el de los recuadros para tu compañero y pregúntale sobre ello. Después presenta esa información a la clase.

• Expresar gustos • Hablar de las aficiones • Reaccionar frente a gustos • Expresar agradecimiento

Culturas

15 ¿Qué fotografía te parece más representativa de España?
¿Y de Hispanoamérica?
Compara tu información
con la de tus compañeros.

● ¿Qué te gusta de España y de Iberoamérica?

16 Unos estudiantes de español hablan de las cosas que les gustan y no les gustan de España.
¿Conoces España o algún país iberoamericano? ¿Tú qué opinas?

• Expresar gustos • Hablar de las aficiones • Reaccionar frente a gustos • Expresar agradecimiento

Punto de vista

17 Observa cómo Juanjo, el chico de las fotos, agradece los regalos de sus amigos.

Una cafetera, ¡qué bonita! No tengo ninguna. Muchas gracias, de verdad.

Gracias. ¡Qué bien! ¡Qué bonita!

Pues, gracias. Me gusta mucho el café.

Gracias... Gracias...

¡Ah! Una cafetera.

● ¿Crees que Juanjo responde igual de contento en las cinco situaciones?
● ¿Crees que es igual de sincero en las cinco ocasiones? ¿Crees que a Juanjo le gusta el regalo?
● En tu cultura, ¿dices algo parecido en estas situaciones? ¿Puedes decir directamente que no te gusta un regalo? Compara tu información con la de tus compañeros.

18 Tu compañero te hace estos regalos. ¿Qué dices para dar las gracias por cada uno de ellos?

a

b

c

d

• Expresar gustos • Hablar de las aficiones • Reaccionar frente a gustos • Expresar agradecimiento

Actividad final

¿Qué te gusta hacer a ti?

Objetivo

Poner un anuncio para encontrar compañeros para crear grupos de trabajo y realizar actividades en español fuera de clase.

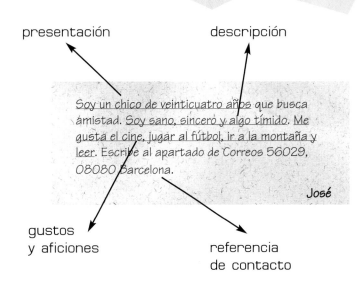

presentación   descripción

Soy un chico de veinticuatro años que busca amistad. Soy sano, sincero y algo tímido. Me gusta el cine, jugar al fútbol, ir a la montaña y leer. Escribe al apartado de Correos 56029, 08080 Barcelona.

José

gustos
y aficiones   referencia
de contacto

Procedimiento

1 Escribe un anuncio.

2 Puedes: a)   Seguir el modelo.

b)   Trabajar solo, en parejas o en grupo.

c)   Elegir dónde quieres anunciarte, por ejemplo:
- en el tablón de clase/escuela
- en la revista/periódico de la escuela
- en la página de Internet de la escuela

3 Lee los anuncios de tus compañeros y selecciona el que más te gusta o se parece más al tuyo.

Reflexión y puesta en común

¿QUÉ TAL TU ANUNCIO?

- Elaborar tu descripción.

- Comprender los anuncios de los demás.

- Encontrar personas con tus mismos gustos y aficiones.

- Crear un grupo de trabajo.

• Expresar gustos • Hablar de las aficiones • Reaccionar frente a gustos • Expresar agradecimiento

Autoevaluación

1 ¿Puedo hablar de las cosas que me gustan y de las que no me gustan?

Escribe tres frases:

1. Me gusta _____

_____ .

2. Me gustan mis amigos. A ellos les gusta _____

_____ .

3. No soporto _____

_____ .

 Sí   **No** *(página 32)*

2 ¿Comprendo a otros cuando hablan de sus gustos y aficiones?

Pregunta a tu compañero qué le gusta de su ciudad.

 Sí   **No** *(página 33)*

3 ¿Sé cómo decir que algo me gusta mucho?

Y digo _____ .

 Sí   **No** *(página 33)*

4 Comprendo textos que explican los gustos y comprendo el vocabulario. ¿Entiendes estos textos?

Soy una chica normal. Me gusta ir al cine, ver la televisión, salir con mis amigos y sobre todo reírme mucho. Uno de mis cantantes preferidos es Chayane. ¡Me encanta!

No soporto los días de lluvia, ni el queso… Me gustan mucho los pasteles. Sin embargo los dulces no me dicen nada.

 Sí

 No *(página 36)*

1 Lee el siguiente diálogo.

Todos los españoles se casan y tienen muchos hijos.

¡Claro!

Los españoles van mucho a los bares y a las cafeterías.

¿Sí?

Se levantan muy pronto como el resto de los europeos.

¿De verdad?

...se besan y se tocan siempre cuando hablan...

¡Caramba!

Los españoles no duermen la siesta.

¡Qué dices!

Trabajan mucho y duermen poco.

¡Hala!

"aahhh"

...hablan muy alto y normalmente todos al mismo tiempo...

¡Qué dices!

...viven con sus padres hasta los treinta años.

¡Vaya, vaya!

...y a todos les encanta bailar.

¿En serio?

● Y tú, ¿qué opinas? ¿Es verdad o mentira?

• Hablar de horarios • Hablar de acciones habituales • Opinar • Reaccionar ante comentarios • Hablar de la familia

Comprensión y expresión oral

2 Completa la información de los textos de los dibujos. Después escucha a unos amigos que hablan de sus actividades diarias en España. Anota la hora de los relojes con el signo (?).

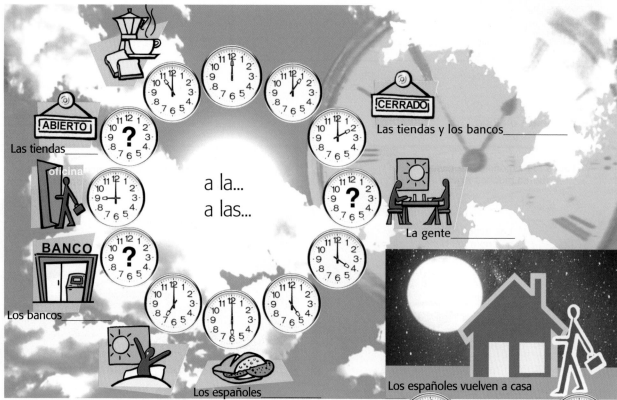

ABIERTO
Las tiendas_____

oficina

BANCO

Los bancos_____

Los españoles_____

a la...
a las...

CERRADO
Las tiendas y los bancos_____

La gente_____

Los españoles vuelven a casa

3 Ahora escucha y escribe los horarios de los otros países.

Cenan a las [?] Se acuestan a las [?]

Horarios	Italia	Alemania
Comida		
Cena		
Cierran los restaurantes		

● Los horarios en Alemania y en Italia, ¿son iguales o diferentes a los de España?

4 Pregunta a tu compañero si los horarios de su país son diferentes o parecidos a los de España.

¿A qué hora...
...se levanta/acuesta la gente?
...la gente empieza a trabajar /termina de trabajar?
...la gente hace la compra?
...sale el último tren, metro, autobús?

Ejemplo: *En España la gente se levanta a las 7 h, pero en mi país se levanta a las...*

Gramática
Formas y funciones

¿Qué hora es?

Son las 2 h (dos). → Es como lo dice normalmente la gente.
Son las 14.00 h (catorce horas). → Es como se dice para dar información horaria en aeropuertos, estaciones, programas de televisión o radio, etc.

en punto   y cuarto / y 15 minutos   y media / y 30 minutos   menos cuarto / menos 15 minutos

de la mañana   de la tarde   de la noche

• Hablar de horarios • Hablar de acciones habituales • Opinar • Reaccionar ante comentarios • Hablar de la familia

 5 Escucha y relaciona la información con el país del que se habla.

Reino Unido

EEUU

España

- Los coches son muy importantes.
- Hay muchos días de fiesta.
- La comida es diferente.
- Por la noche, son normales las cenas de negocios.
- La gente va a la playa no solo en verano.

Colombia

Japón

Gramática
Formas y funciones

 6 Escucha otra vez y anota alguna opinión para completar las siguientes frases.

a) El señor español que viaja con su esposa opina que en Reino Unido las tiendas _____

b) La chica colombiana opina que los españoles _____

c) El estudiante estadounidense opina que en su país la gente no _____

d) La chica japonesa cree que los españoles _____

 7 ¿Qué opina la gente de tu país sobre los españoles? ¿Y sobre la gente de otros países donde hablan español?

> En mi país la gente opina que los españoles son muy aburridos.

> ¡Hala! ¡Qué dices!

> Pues, yo creo que la mayoría de los españoles...

La frecuencia de nuestras actividades

siempre (todos los días, semanas, meses...)

muchas veces

normalmente

a veces

pocas veces

casi nunca

nunca

El número de personas

todos (los) / casi todos (los) espa oles...

la mayor a (de) / muchos / mucha gente

algunos / algunas personas

pocos / pocas personas

casi nadie

nadie...

● ¿Qué opinas de los comentarios de tus compañeros? Reacciona con frases para mostrar acuerdo, sorpresa o desacuerdo.

Gramática en contexto

 Observa la gramática de los textos.

OYE, NO SÉ SI LOS ESPAÑOLES SOIS MUY COMPLICADOS O MUY DESORGANIZADOS, PERO **VUESTROS HORARIOS SON DE LOCOS, TODO ES MÁS TARDE**, NO TIENEN LÓGICA.

¡QUÉ DICES!

PERO EN EL CENTRO TODO ESTÁ ABIERTO...

YA, Y SI QUIERES IR AL BANCO POR LA TARDE, NO PUEDES PORQUE LOS BANCOS NO ABREN POR LA TARDE. EN ALEMANIA SÍ ABREN POR LA TARDE.

ADEMÁS EL HORARIO DE LAS COMIDAS ES DE LOCOS, NO DESAYUNÁIS BIEN. HACÉIS DOS FASES: PRIMERO ALGO EN CASA, PERO POCO Y MAL Y CLARO DESPUÉS VAIS AL BAR A LAS 10,30 h O A LAS 11h A TOMAR OTRO CAFÉ, UN BOCADILLO, UNA TOSTADA O UNA CERVEZA.

MIRA, PARA EMPEZAR, OS LEVANTÁIS MUY TARDE A LAS 7h O LAS 8h DE LA MAÑANA.

¿QUÉ QUIERE DECIR MÁS TARDE?

SÍ, Y EMPEZÁIS A TRABAJAR A LAS 9h Y LAS TIENDAS NO ABREN HASTA LAS 10h O LAS 11h.

BUENO, LOS BANCOS ABREN A LAS 8,30h.

SÍ, PERO CIERRAN A LAS 2h Y A ESA HORA TODO ESTÁ CERRADO PORQUE LA GENTE COME, NO PUEDES COMPRAR NADA Y...

Y COMÉIS MÁS TARDE A LAS 2h O A LAS 3h, NOSOTROS COMEMOS A LAS 12,30h O A LA 1h. ¿EN ALEMANIA TAMBIÉN VERDAD?

SÍ, Y ¿LA CENA? CENÁIS A LAS 9,30h O A LAS 10h. BUENO, LOS DÍAS NORMALES PORQUE LOS VIERNES O LOS SÁBADOS POR LA NOCHE EMPEZÁIS A CENAR A LAS 11h.

CLARO, PARA TRABAJAR MÁS Y MEJOR.

Reaccionar de forma espontánea ante la opinión de otra persona:

Estar de acuerdo

¡Claro!
¡Qué bien!
¡Sí!

No estar de acuerdo

¡Qué dices!
¡Venga!
¡Ala!
¡Que no!

Expresar sorpresa

¿Sí?
¡Vaya, vaya!
¿De verdad?
¡Caramba!
¡Ala!

> **Chico estadounidense:** *En los Estados Unidos, **la mayoría de** la gente **trabaja siempre**, siempre.*
> **Entrevistador:** *¡Qué dices!*
> **Chico estadounidense:** *Sí, ¡ah!... Y otra cosa más es que aquí en España, **normalmente** no voy en coche, aquí **paseo mucho,** pero en Estados Unidos **siempre voy en coche** a todas partes.*

Frecuencia de las actividades

¡QUÉ VIDA! SIEMPRE ME LEVANTO A LAS 7h.

¡QUÉ VIDA! POCAS VECES ME ACUESTO A LAS 10h.

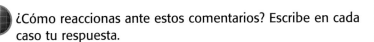

¿Cómo reaccionas ante estos comentarios? Escribe en cada caso tu respuesta.

a) Todos los hombres españoles llevan bigote.
b) Los italianos siempre comen pasta.
c) La mayoría de los españoles tienen dos casas.
d) La gente en España siempre grita.
e) En Iberoamérica siempre hacen fiestas.
f) Los europeos no se divierten.
g) Los españoles solo comen tapas.
h) Todos los que hablan español son españoles.
i) Los españoles se acuestan siempre tarde.
j) Los españoles trabajan más de ocho horas diarias.

● Escucha ahora cómo reaccionan otras personas.

Formas y funciones

PRESENTE

• Regulares:

TRABAJAR (-AR)	BEBER (-ER)	ESCRIBIR (-IR)
trabaj-**o**	beb-**o**	escrib-**o**
trabaj-**as**	beb-**es**	escrib-**es**
trabaj-**a**	beb-**e**	escrib-**e**
trabaj-**amos**	beb-**emos**	escrib-**imos**
trabaj-**áis**	beb-**éis**	escrib-**ís**
trabaj-**an**	beb-**en**	escrib-**en**

• Irregulares:
  Tipo **-ar:** *empezar*
  Tipo **-er:** *querer*
  Tipo **-ir:** *dormir*

• Reflexivos:
  Casarse y *levantarse* son verbos llamados reflexivos y llevan pronombre (*me, te, se*...).
   (yo) **me** levanto
   (tú) **te** levantas
   (él) **se** levanta
   (nosotros) **nos** levantamos
   (vosotros) **os** levantáis
   (ellos) **se** levantan

ADJETIVOS POSESIVOS

singular		plural	
mi		mis	
tu		tus	
su		sus	
nuestro/a	padre	nuestros/as	hermanos
vuestro/a		vuestro/as	
su		sus	

VOCABULARIO

• Familia:

masculino	femenino
padre	madre
hijo	hija
esposo	esposa
suegro	suegra
yerno	nuera
marido	mujer
tío	tía
sobrino	sobrina

ORGANIZAR LA INFORMACIÓN

Primero *me ducho, me visto, me peino,* ***luego*** *desayuno, escucho las noticias de la radio y* ***después*** *me voy al trabajo.*

Apéndice
Apartados 11, 12, 13 y 14
(páginas 117 y 118)

Textos para... ...escribir una carta personal

8 Lee esta carta de una española que estudia inglés en Estados Unidos.

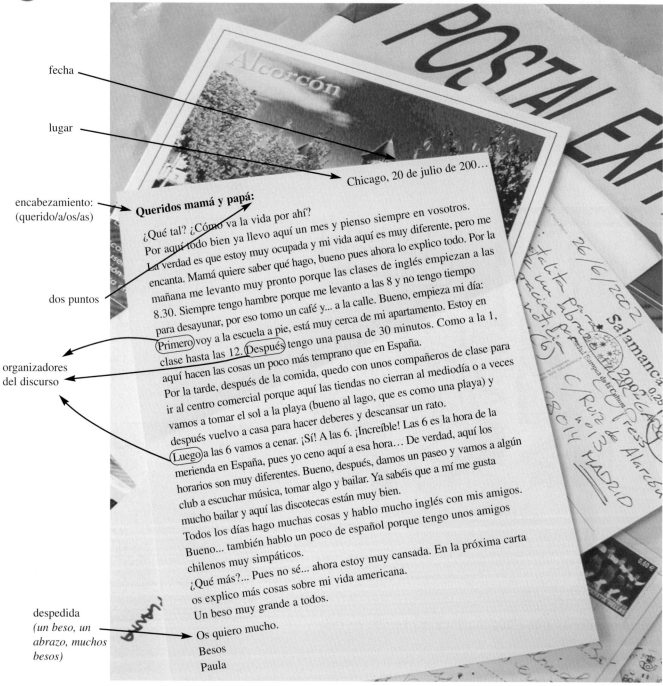

fecha

lugar

Chicago, 20 de julio de 200...

encabezamiento:
(querido/a/os/as)

Queridos mamá y papá:

¿Qué tal? ¿Cómo va la vida por ahí?

Por aquí todo bien ya llevo aquí un mes y pienso siempre en vosotros.

La verdad es que estoy muy ocupada y mi vida aquí es muy diferente, pero me encanta. Mamá quiere saber qué hago, bueno pues ahora lo explico todo. Por la mañana me levanto muy pronto porque las clases de inglés empiezan a las

dos puntos

8.30. Siempre tengo hambre porque me levanto a las 8 y no tengo tiempo para desayunar, por eso tomo un café y... a la calle. Bueno, empieza mi día: Primero voy a la escuela a pie, está muy cerca de mi apartamento. Estoy en clase hasta las 12. Después tengo una pausa de 30 minutos. Como a la 1,

organizadores
del discurso

aquí hacen las cosas un poco más temprano que en España.

Por la tarde, después de la comida, quedo con unos compañeros de clase para ir al centro comercial porque aquí las tiendas no cierran al mediodía o a veces vamos a tomar el sol a la playa (bueno al lago, que es como una playa) y después vuelvo a casa para hacer deberes y descansar un rato. Luego a las 6 vamos a cenar. ¡Sí! A las 6. ¡Increíble! Las 6 es la hora de la merienda en España, pues yo ceno aquí a esa hora... De verdad, aquí los horarios son muy diferentes. Bueno, después, damos un paseo y vamos a algún club a escuchar música, tomar algo y bailar. Ya sabéis que a mí me gusta mucho bailar y aquí las discotecas están muy bien.

Todos los días hago muchas cosas y hablo mucho inglés con mis amigos. Bueno... también hablo un poco de español porque tengo unos amigos chilenos muy simpáticos.

¿Qué más?... Pues no sé... ahora estoy muy cansada. En la próxima carta os explico más cosas sobre mi vida americana.

Un beso muy grande a todos.

despedida
(un beso, un
abrazo, muchos
besos)

Os quiero mucho.

Besos
Paula

9 ¿Cuáles de estos temas están en la carta de Paula?

- Saludos
- Trabajo
- Comida
- Horarios de las tiendas
- Cosas que le gustan
- Ropa que lleva

- Nombres de lugares importantes en la ciudad
- Cómo es la gente de Chicago
- Los nombres de sus amigos
- La nacionalidad de sus amigos
- A qué hora se acuesta
- Cómo es la escuela donde estudia

10 Escribe una carta a alguien de tu familia para explicar qué haces en un día normal y en qué orden.

• Hablar de horarios • Hablar de acciones habituales • Opinar • Reaccionar ante comentarios • Hablar de la familia

Culturas

11 Lee este reportaje sobre familias españolas.

LA VIDA EN FAMILIA EN ESPAÑA

Se llaman Mikel y Mercedes, están casados y tienen una hija de cinco años, Maite. Mikel trabaja como arquitecto y Mercedes como secretaria ejecutiva de una empresa farmacéutica alemana. Viven en un piso propio de tres habitaciones en Portugalete (Bilbao). En casa hablan euskera y castellano porque Mercedes es asturiana.

Su hija va a una *Ikastola*, un colegio vasco. No quieren tener más hijos porque no quieren tener problemas económicos y así poder ir, por ejemplo, todos los años de vacaciones al extranjero o salir cada fin de semana a cenar o a esquiar porque les gusta mucho. También quieren comprarse un apartamento en Santander. Les gusta celebrar todos los cumpleaños con la familia, las fiestas de la ciudad y especialmente las Navidades.

Se llama Nuria y tiene cuarenta y tres años. Está separada y vive con su hija, María, de siete años. Nuria vive en Barcelona en un piso alquilado de tres habitaciones y es maestra en un colegio. Hablan catalán y castellano, pero en casa hablan solo en catalán. Toda la familia de Nuria es de Salou, Tarragona. Nuria trabaja en la escuela por la mañana y por la tarde, da clases particulares de música en otra escuela para poder ganar un dinero extra y pagar la canguro que lleva y recoge a su hija del colegio. María empieza el colegio a las 9 h y sale a las 17 h. Nuria quiere ahorrar para comprar un piso, pero ahora están muy caros. Le gustan mucho las fiestas y celebra su cumpleaños, su santo y los de su hija. No le gustan las Navidades porque para ella son tristes, pero le encanta la fiesta de San Juan, el 23 de junio, para celebrar el comienzo del verano.

Son la familia Pardo: José, Pilar, sus hijos Javier y Yolanda y la abuela Carmen, la madre de Pilar, que tiene su piso, pero ahora está un poco enferma y vive una temporada con ellos. Viven en Madrid en un piso propio de cuatro habitaciones. José es constructor y Pilar es ama de casa. Hablan castellano. Javier estudia medicina y tiene veintitrés años y Yolanda es abogada y tiene veintinueve. Viven todos juntos y tienen una buena relación. Yolanda tiene dinero para un piso, pero no quiere vivir sola. Tienen un apartamento en la sierra donde pasan los fines de semana y las vacaciones. Siempre tienen alguna celebración: cumpleaños, santos, Navidades, las fiestas madrileñas de San Isidro y claro, todos los domingos comen en familia, todos juntos.

● ¿Se parecen estas familias a las de tu país?

● Presenta en la clase a una familia de tu país. Sigue el modelo de los textos anteriores.

Español de España-Iberoamérica
- En España *papá* y *mamá* se usan en contextos familiares. Para el uso social se dice *padre* y *madre*. *Papi* y *mami* es cariñoso para hablar de los padres.
- En Iberoamérica es habitual decir *mi papá* y *mi mamá* o *mis papás*. *Papi* y *mami* es cariñoso entre novios.

Usos y significados de algunas palabras
- En España las palabras *tío* y *tía* tienen varios usos:
    - **Tío**: señala un tipo de relación familiar: *Mi tío Juan es el hermano de mi padre.*
    - **Tío/tía**: uso coloquial para hablar de un hombre o mujer: *¡Ese tío es muy pesado!*
    - **Tío/tía**: se usa en saludos o reacciones: *¡Hola, tío!, ¡Qué va tío!*
- **Primo/a** puede significar 'colega', pero a veces también 'tonto'.
- En México **algo padre** es algo 'muy bueno'.

Punto de vista

12 Observa las fotografías y habla con tus compañeros sobre estas cuestiones:

- En tu cultura, ¿es importante la comida?
- ¿Cuándo te reúnes con tu familia para comer?
- ¿Llevas algún regalo cuando vas a comer a casa de otros?

El domingo a las dos: invitación para comer.

13 Contesta a este test sobre las costumbres del buen invitado. Al final cuenta tus respuestas y lee la interpretación de los resultados correspondiente.

¿Eres un buen invitado según la cultura hispana?				
	Sí	**No**	**A veces**	**Resultados**
1. ¿Visitas a la gente a la hora de comer?				**Mayoría SÍ:** Puedes tener serios problemas como invitado en una casa de españoles. Seguro que tú haces todo sin pensar y no ves la cara que tienen los demás cuando haces todas estas cosas. Una recomendación: pregunta a tus amigos cómo debes comportarte en estas situaciones.
2. ¿Llegas a comer mucho antes de la hora de la invitación?				
3. ¿Llegas sin algún regalo?				
4. ¿Entras en la cocina para mirar que hay para comer?				
5. ¿Te sirves la comida tú mismo sin preguntar?				**Mayoría A veces:** Bueno, no está mal. Podemos invitarte a cenar, pero todavía necesitas ayuda para mejorar. Habla con tus amigos, ellos te pueden ayudar a ser el invitado perfecto en la cultura hispana. Tienes muchas posibilidades de ser un número uno.
6. ¿Te sientas el primero a la mesa?				
7. ¿Te levantas el primero de la mesa?				
8. ¿Comes muy deprisa y terminas el primero?				**Mayoría NO:** Eres el invitado perfecto. Seguramente en tu cultura haces cosas diferentes en la misma situación, pero tienes información y quieres actuar de forma adecuada para una situación que es importante para las costumbres hispanas. ¡Felicidades!
9. ¿Haces ruido cuando comes?				
10. ¿Comes sin usar la servilleta?				
11. ¿Comes sin usar al mismo tiempo el cuchillo y el tenedor?				

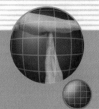

Pausa

¿Qué te gusta hacer para aprender español dentro y fuera de clase? Háblalo con tus compañeros.

- trabajar en grupo
- hacer deberes
- escuchar las explicaciones del profesor
- conocer otras culturas
- hablar en clase
- escuchar canciones
- ir a bares españoles

● ¿Crees que puedes hacer algo más para aprender mejor? ¿Tus compañeros hacen las mismas cosas para aprender español? Apunta algunas ideas que hacen tus compañeros.

recuerda ¡Haz algo nuevo! Quizás funciona.

• Hablar de horarios • Hablar de acciones habituales • Opinar • Reaccionar ante comentarios • Hablar de la familia

Actividad final

Objetivo

Elaborar un folleto explicativo para conocer mejor España.

Procedimiento

1 Poned este título al folleto: «Estudiantes sin fronteras».

2 En el folleto tenéis que escribir una pequeña explicación para ayudar a estudiantes extranjeros a conocer España. Para ello:

- Primero, pensad qué temas queréis presentar.
- Después preparad el vocabulario que necesitáis.
- Luego, escribid el folleto.
- Al final haced la presentación del folleto para toda la clase.
- También podéis hacer un póster y colgarlo en la clase.

ESTUDIANTES SIN FRONTERAS

diversiones y aficiones

horarios

formas de saludarse

otros temas

Reflexión y puesta en común

¿QUÉ TAL LA ELABORACIÓN DEL FOLLETO?

Seleccionar la información.			
Escribir la información.			
Comprender a los compañeros.			
Presentar la información.			

• Hablar de horarios • Hablar de acciones habituales • Opinar • Reaccionar ante comentarios • Hablar de la familia

1 **¿Puedo hablar sobre mis actividades cotidianas y hablar sobre cosas que hacen otras personas?**

Explica qué hace normalmente alguna persona de clase.

_____

Sí **No** (páginas 41 y 43)

2 **Cuando explico mis actividades diarias o las de otras personas, ¿puedo organizar la información con fórmulas como *primero, después, luego*?**

Pon un ejemplo: _____

Sí **No** (páginas 45 y 46)

3 **Cuando alguien me explica algo, ¿puedo reaccionar con expresiones específicas?**

¿Qué dices en estas situaciones?:

• Para mostrar sorpresa: _____

• Para mostrar que estás de acuerdo: _____

• Para mostrar que no estás de acuerdo: _____

Sí **No** (páginas 41 y 44)

4 **¿Puedo decir qué hora es y qué hago a una hora concreta del día?**

• ¿Qué hora es ahora?: _____

• ¿A qué hora empieza la clase de español?: _____

• ¿A qué hora se levanta tu familia?: _____

Sí **No** (página 42)

5 **¿Conozco la diferencia entre *a veces* y *casi nunca*?**

¿Cuál es?: _____

Sí **No** (página 43)

6 **¿Puedo hablar y entender mejor costumbres y actividades diarias de personas de otras culturas?**

Señala una costumbre que te parece interesante o muy diferente a las tuyas:

_____

Sí **No** (páginas 42 y 43)

7 **¿Puedo hablar de los miembros de mi familia?**

¿Cuántos tíos tienes?: _____

Sí **No** (página 47)

8 **¿Sé cómo empezar y cómo terminar una carta personal en español y puedo explicar las diferencias que hay cuando escribo una carta en mi idioma?**

• ¿Cómo empieza?: _____

• ¿Cómo termina?: _____

Sí **No** (página 46)

9 **¿Conozco nuevas costumbres españolas? Señala alguna.** _____

Sí **No** (páginas 43 y 47)

5

Diviértete

 Las siete maravillas del mundo, ¿dónde están?

● Para ti, ¿cuáles son las siete maravillas del mundo?, ¿dónde están?

● Y las maravillas de tu país, ¿dónde están?

● Compara tu información con la de tu compañero.

• Informar sobre lugares • Concertar una cita • Dar instrucciones para llegar a un lugar • Argumentar

Comprensión y expresión oral

2 Escucha. ¿Sabes qué ciudades son las de las fotografías *a-j*?

Gramática
Formas y funciones

3 En tu ciudad, ¿qué hay? ¿Hay muchos lugares de interés? Presenta tu información a tus compañeros.

¿Quieres ir al cine conmigo esta tarde?

Lo siento, no puedo, es que tengo que estudiar.

4 Marcos quiere salir con María. Escucha el diálogo y contesta a las preguntas:

- ¿Qué quiere hacer él?
- ¿Acepta ella su invitación?

5 Ahora María habla con José. Escucha el diálogo y contesta a las preguntas.

- ¿Qué quiere hacer María?
- ¿Qué propone José?
- ¿A qué hora quedan?
- ¿Dónde quedan?

Gramática
Formas y funciones

• Informar sobre lugares • Concertar una cita • Dar instrucciones para llegar a un lugar • Argumentar

6 ¿Quieres hacer algo diferente? Completa la lista con diversas actividades de ocio.

Actividades diferentes, para gente diferente

Limpiar la playa

Acompañar a personas mayores

Alimentar gatos abandonados

Plantar árboles

Tocar la guitarra en el metro

● ¿Qué día y qué hora es la mejor para realizar alguna de las anteriores actividades? ¿Y con quién? Completa la tabla con esa información.

El mejor día de la semana	La mejor hora del día	La persona ideal

7 Intenta quedar con tu compañero para realizar alguna de las actividades anteriores.

● Prepara antes qué vas a decir. Sigue estas indicaciones.

Objetivo: Quedar a una hora en un lugar.

- **Alumno A:** Invita a tu compañero a realizar juntos una actividad.
- **Alumno B:** Acepta o rechaza la propuesta. Si la rechazas, tienes que excusarte y proponer otra actividad.

8 Escucha la canción. Marca la dirección que deben seguir los pies para poder bailar.

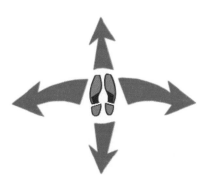

9 Escucha la conversación entre dos amigos.

● Dibuja en el plano de esta página el camino hasta casa de María.

● Ordena la información que José necesita para llegar a casa de María.

Ejemplo: Primero... luego... después... y finalmente...

10 Con tu compañero, localiza en el plano el camino más corto para ir al banco desde casa de María.

● Informar sobre lugares ● Concertar una cita ● Dar instrucciones para llegar a un lugar ● Argumentar

Gramática en contexto

 Observa la gramática de los textos.

Invitar

¿QUIERES SALIR CONMIGO ESTA NOCHE?

ES QUE... NO PUEDO, LO SIENTO PERO ESTA NOCHE TENGO QUE TRABAJAR.

Ubicación

PACO DEBAJO DEL ACUEDUCTO.

PACO A LA DERECHA DE LA CATEDRAL DE COMPOSTELA.

PACO ENCIMA DEL GUGGENHEIM.

PACO ENTRE LAS DOS TORRES KÍO.

PACO A LA IZQUIERDA DE LA SAGRADA FAMILIA.

PACO AL LADO DE LA CIBELES.

Así hablamos

Aceptar o rechazar una invitación:

–¿Quieres ir al cine a ver la última película de Tarantino?
–No. Esta tarde tengo mucho trabajo.

■ ¿Tienes planes para esta tarde?
▲ No, de momento no tengo planes.
■ ¿Quieres ir a ver la última película de Tarantino?
▲ ¿A qué hora empieza?
■ Creo que a las 6.30 h.
▲ Tan tarde... lo siento, pero es muy tarde, es que esta noche ceno con mi familia, es el cumpleaños de mi padre.
■ Vale, ¿y qué tal mañana?
▲ Sí, perfecto, quedamos mañana a las seis.

Observa: Antes de invitar a otra persona solemos preguntar si tiene planes o proyectos.

Observa: Normalmente no podemos rechazar una invitación con un *no*, es necesario decir el motivo de nuestro rechazo o dar una excusa.

Marcos: *¿Quieres ir al cine conmigo esta tarde?*
María: *¿Esta tarde? Vaya, **lo siento**, pero **es que tengo que** estudiar y no quiero acostarme tarde.*
Marcos: *Ya, pero podemos volver pronto. ¿No te parece una buena idea?*
María: *No sé, es que... No, gracias, mejor otro día. Tengo muchas cosas que hacer y estoy muy cansada, en serio.*
Marcos: *Vale, hablamos otro día.*

(Cinco Minutos más tarde)

José: *¿**Haces algo** esta tarde?*
María: *No sé, no tengo planes para esta tarde, quiero ir al cine, a ver una película, pero no sé qué película.*
José: *Al cine... Si quieres podemos ir juntos. Hay dos o tres películas buenas, ya sabes, ir solo al cine...*
María: *Bueno, vale, vamos, podemos ir juntos.*

Ir / venir

 En tu cultura, ¿es necesario dar excusas o alguna información cuando se rechaza una invitación? Háblalo con tus compañeros.

Lo siento, pero...

Formas y funciones

INVITAR
- **Hacer una invitación:**
  ¿Quieres salir esta noche?
  (querer + infinitivo o nombre)
  ¿Te apetece un café?
  (apetecer + infinitivo o nombre)
- **Aceptar una propuesta:**
  Sí, claro.
  Sí, por supuesto.
  Sí, gracias.
- **Rechazar una propuesta:**
  No, lo siento, es que ahora no puedo. (poder)
  No, lo siento, es que tengo que estudiar.
  (tener + que + infinitivo)

QUEDAR CON ALGUIEN
- **Concertar una cita:**
  Quedamos a las 6 h.
  Quedamos en tu casa.

UBICACIÓN
- **Preguntar por un lugar u objeto concreto:**
  ¿Dónde está el libro?
  ¿Dónde están las llaves?

- **Preguntar por un lugar no concreto o del que desconocemos su existencia:**
  ¿Dónde hay un banco/una farmacia?
  ¿Dónde hay unos almacenes?

VERBOS DE MOVIMIENTO
Ir + a + lugar: Voy a casa de María.
Venir + de + lugar: Vengo de casa de María.
Ir + en + medio de transporte:

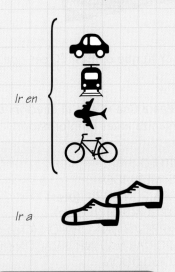

Ir en

Ir a

Apéndice
Apartados 15 y 16
(página 118)

Textos para...   ...escribir una carta de opinión

11 En el siguiente texto, un lector expresa su opinión sobre la dieta mediterránea y la comida rápida.

CARTAS
AL DIRECTOR

Cartas al director

La dieta mediterránea compite con la «comida rápida» → título

La dieta mediterránea está considerada la dieta ideal para vivir muchos años y tener buena salud. → primera idea
En nuestras ciudades hay muchos restaurantes en los que podemos apreciar los platos típicos de la dieta mediterránea, con los ingredientes que todos conocemos: el aceite de oliva, la verdura, las legumbres, el pescado, la fruta, el vino, etc.

Pero hablar de comida es hablar de comer bien y también de comer mal. → idea contraria (*pero*)
Ahora hay nuevos restaurantes de «comida rápida» y estos son muy atractivos para los jóvenes. A nosotros nos gustan porque en ellos podemos comer por poco dinero y en muy poco tiempo. → explicación (*porque*)

Yo creo que este cambio es negativo, porque esta comida no es sana, además cambia nuestros hábitos, nuestras costumbres. La comida es parte de nuestra cultura: si cambiamos nuestra forma de comer, algo más cambia. → expresar la opinión (*Mi opinión es..., creo que*)
→ aportar más información (*además*)

Tenemos que encontrar una solución a esta invasión de restaurantes de comida rápida. Una posibilidad es abrir buenos restaurantes con comida de calidad a un buen precio para los jóvenes. → conclusión

J. LÓPEZ

● ¿Y tú qué opinas? ¿Crees que los jóvenes comen mal?

12 Prepara una «Carta al director» con tu opinión sobre hábitos alimentarios de los jóvenes. Organiza antes tu información.

TÍTULO
PRIMERA IDEA
IDEA CONTRARIA (*pero*)
EXPLICACIÓN (*porque*)
EXPRESAR UNA OPINIÓN (*Creo que...*)
APORTAR MÁS INFORMACIÓN (*además*)
CONCLUSIÓN

• Informar sobre lugares • Concertar una cita • Dar instrucciones para llegar a un lugar • Argumentar

Culturas

13 Lee el siguiente texto y contesta a las preguntas.

CADA BARCELONÉS GASTA 9 € EN EL MENÚ DIARIO

Desayunos. El desayuno es para la mayoría un café con algo de bollería o un bocadillo, por ello solo el 26% de los barceloneses se gasta más de 2,5 € en la primera comida del día. Y por sexos, son las mujeres las que prefieren desayunar fuera de casa. Las mujeres representan el 61% de los clientes de bares y cafeterías a esa hora del día.

Comidas. El 37% de la población barcelonesa come en bares y restaurantes. Esto se debe a que tomar un menú compuesto por dos platos, bebida y postre en un bar o restaurante es más barato que comer en casa. El 86% gasta menos de 9 € en la comida del mediodía y solo un 5% gasta más de 10,5 €; la gran mayoría come en restaurantes de menú y solo una pequeña minoría come a la carta. El 62% de los que comen cada día fuera de casa son hombres.

Cenas. Los propietarios de bares y restaurantes afirman que de domingo a miércoles «las noches están muertas». Los barceloneses se quedan en casa durante la semana. Los fines de semana son diferentes, viernes y sábados por la noche los restaurantes están llenos.

(Texto adaptado de
El Periódico, 29/7/00)

- ¿Son similares tus hábitos alimentarios a los de los barceloneses?
- ¿Cuántas comidas haces en casa? ¿Y fuera de casa?
- ¿Cuánto dinero gastas cada día en comidas?
- ¿Qué valoras de un restaurante? ¿La cantidad de comida, la calidad, la variedad, el servicio que ofrece, el ambiente, etc.?

Punto de vista

14 Observa las fotografías y lee estos textos. Contesta después a las preguntas.

Merienda. f. Comida ligera que se toma por la tarde antes de la cena.

Propina. f. Pequeña cantidad de dinero que se da por un servicio.

Guarnición. f. Verduras, hortalizas o legumbres que se sirven con la carne o con el pescado.

Tapa. f. Pequeña ración de comida para acompañar a una bebida que se ofrece en algunos bares.

Comer fuera de casa

Comer el menú es una posibilidad barata, pero no es la única. Hay muchos restaurantes en nuestras ciudades que ofrecen platos combinados a un buen precio: lomo con patatas, calamares con guarnición o huevos fritos con bacon son algunos ejemplos. Pero, para comer bien y beber un buen vino es necesario ir a un buen restaurante, pedir la carta y seleccionar los platos que nos gustan. Ir a un restaurante cuesta más dinero, pero... ¡un día es un día! ¿Y la propina? Es el problema que todos tenemos en un país extranjero: ¿Es obligatorio dar propina?, ¿cuánto dinero hay que dar? La respuesta es difícil: no hay una cantidad obligatoria, depende del servicio recibido.

Picar algo entre horas

Los bares y las cafeterías ofrecen diferentes posibilidades para comer a cualquier hora del día.
Por la tarde muchas personas toman la merienda: chocolate o café con churros, café con leche con una tostada o un bollo, zumos de fruta, etc. Por las mañanas o por las tardes mucha gente come tapas en bares y cafeterías.
¡Comer en España no es un problema, siempre hay bares abiertos!

- En tu país, ¿cuántos tipos de restaurantes hay? Descríbelos.
- ¿Existe en tu cultura la costumbre de dar propina en los restaurantes? ¿Cuánto dinero hay que dejar como propina? Compara tu información con la de tus compañeros.
- Y en tu país, ¿existen bares o cafeterías abiertos las 24 horas del día? Compara tu información con las de tus compañeros.

• Informar sobre lugares • Concertar una cita • Dar instrucciones para llegar a un lugar • Argumentar

Actividad final

Objetivo

Elegir entre todos un restaurante en la ciudad o localidad para ir a cenar.

Procedimiento

Carmencita

Dirección: Libertad 16, Madrid. Tel. 91 531 66 12
¿Cómo llegar?: Estaciones de metro, Banco de España y Chueca.
Horarios: Abierto todos los días, cierra sábados a mediodía y domingos todo el día.
Ambientación: Clásica.
Clientela: Variada.
Tipo de cocina: Vasco casera.
Precio medio: 25 €.
Relación calidad-precio: Excelente.
Índice de grasas y colesterol: Moderada. No es cocina muy pesada.
Raciones: Abundantes.

1 Escribir un texto con la información más importante sobre el restaurante favorito en la ciudad o localidad.

2 Para realizar la tarea puedes:

   a) Seguir el modelo.

   b) Buscar otro modelo similar en revistas, periódicos o guías de tu ciudad.

3 Decidir cuál es la mejor opción de la clase.

Reflexión y puesta en común

¿QUÉ TAL LA ELECCIÓN DEL RESTAURANTE?

• Entender la información de una guía de restaurantes.			
• Escribir un texto sobre tu restaurante favorito.			
• Comprender los textos de los compañeros.			

Autoevaluación

1 ¿Sé cómo proponer una actividad a mi compañero?

¿Cómo lo haces?: _____

¿Sé cómo aceptar o rechazar una invitación en español?

¿Cómo lo haces?: _____

¿Sé cómo concertar una cita y quedar con alguien a una hora, en un lugar?

¿Cómo lo haces?: _____

S   N◯ *(páginas 52, 53, 54 y 55)*

2 ¿Puedo describir mi casa o mi barrio?

¿Cómo es?: _____

_____

_____

S   N◯ *(páginas 52 y 53)*

3 ¿Puedo comprender las instrucciones para llegar a un lugar?

Dibuja en el plano el camino descrito en el recuadro.

S   N◯ *(página 53)*

Para ir al cine Goya tienes que seguir todo recto, hasta el final, allí coges la calle de la izquierda y el cine está enfrente de la estación de autobuses.

4 ¿Puedo confeccionar el menú de un restaurante?

¿Qué pones de primer plato?: _____

¿Qué pones de segundo?: _____

¿Qué pones de postre?: _____

S   N◯ *(página 57)*

5 ¿Puedo comprender las diferencias que hay entre un restaurante de menú y otros tipos de restaurante?

¿Qué diferencia hay?: _____

_____

¿Puedo explicar mis hábitos de alimentación?: _____

_____

_____

_____

S   N◯ *(páginas 56, 57 y 58)*

Vete de compras

1 Observa la imagen. ¿En qué sección puedes encontrar los artículos de «Nuestra selección»?

BIENVENIDOS A "VAMOS DE COMPRAS"

www.vamosdecompras.es

Grandes descuentos
50% 40% 30% 25% 20%

NUESTRA SELECCIÓN
pincha sobre cada imagen para conocer las características de estos productos

nuestras secciones

- Hogar
- Perfumería
- Música
- Ropa de mujer
- Ropa de niños
- Viajes
- Electrodomésticos
- Joyería
- Libros
- Deportes
- Ropa de hombre
- Zapatería
- Informática
- Oportunidades

1.299€   32,50€

3€   35€

49,60€   42,75€

52,15€   55,17€

555,05€   15,30€

Añadir a favoritos / Volver / Cómo pagar / Seguridad

- ¿Qué artículos te parecen caros?
- ¿Qué artículos te parecen baratos?
- En tu país, ¿cuánto cuestan estos artículos?

• Comprar • Comparar • Expresar cantidades • Describir objetos, lugares y acciones • Hablar de hábitos de compra

Comprensión y expresión oral

 2 Sonia está comprando en el centro comercial. Escucha y marca en qué establecimientos y tiendas entra.

- ❏ floristería
- ❏ panadería
- ❏ zapatería
- ❏ tienda de ropa
- ❏ tienda de bolsos
- ❏ librería
- ❏ supermercado
- ❏ peluquería
- ❏ pescadería
- ❏ cafetería
- ❏ heladería
- ❏ joyería
- ❏ carnicería
- ❏ frutería
- ❏ perfumería

 3 Escucha otra vez. ¿Qué está haciendo Sonia en cada uno de esos establecimientos.

Ejemplo: Sonia está comprando unas flores en la...

 Gramática
Formas y funciones

 4 Mira la imagen de la derecha. ¿Qué están haciendo estas personas?

● Escribe el mayor número de frases posibles y compara después con tu compañero.

Ejemplo: Hay una señora que está mirando un escaparate.

 5 Sonia tiene una cena esta noche.

● ¿Qué vestido crees que compra?

● ¿Qué vestido es el mejor para la cena? ¿Por qué?

● Escucha y comprueba.

6 ¿Qué artículos de este escaparate te gustan más? ¿Por qué?

 7 Cinco alumnos salen de clase y se intercambian prendas de ropa. El resto del grupo adivina de quién son.

Ejemplo:

Alumno A: La chaqueta no es tuya.
Alumno B: No, no es mía, es de María.

8 Mira la imagen y observa las cantidades que corresponden a cada producto.

- Carne, pescado, frutas → kilos
- Huevos → docenas

● Y en tu país, ¿cómo es? ¿Es igual o distinto?

9 Escucha qué compra Javier para la cena. Completa esta lista con las cantidades.

a) manzanas
b) tomates maduros
c) tomates verdes
d) judías verdes
e) lechugas
f) perejil
g) ternera
h) jamón serrano

10 Observa el anuncio de la oferta y contesta a estas preguntas.

- ¿Qué te parece la oferta?
- ¿Crees que hay suficiente comida para 10 personas?
- ¿Crees que hay demasiada bebida?

● Prepara una lista de lo que necesita tu grupo para preparar una fiesta.

poco
bastante
mucho
demasiado
suficiente

EMPRESA ESPECIALIZADA ORGANIZA FIESTAS SERVICIO DE *CATERING*

Oferta del mes
PARA UNA FIESTA DE 10 PERSONAS
7 botellas de cava, 8 botellas de vino, 2 paquetes de patatas fritas de 200 gramos y un queso de 3 kilos y 2 barras de pan.

precio 40 €

Gramática
Formas y funciones

11 Ya tenéis la lista de los productos para la fiesta. Con tu compañero prepara el posible diálogo en la tienda. Uno es el cliente y otro es el vendedor.

Gramática en contexto

Observa la gramática de los textos.

Así hablamos

Reaccionar ante elogios:

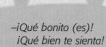

—¡Qué bonito (es)!
¡Qué bien te sienta!
—Pues, es muy barato.

Observa: Ante los elogios de amigos y conocidos solemos responder quitándole importancia. Dar solo las gracias no es apropiado. ¿Cómo lo haces en tu lengua?

Describir un objeto:

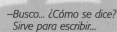

—Busco... ¿Cómo se dice?
Sirve para escribir...
—¿Un lápiz?
—No. Es como un boli, pero no es un boli.
—¿Un rotulador?
—Sí, eso es.

Observa: Si desconocemos o no recordamos el nombre de una palabra, podemos describir alguna característica (para qué se usa o cómo es):

Es una cosa...   que sirve para...
Es una animal...   que tiene...
Es una prenda de vestir... que es como...

Ejemplo: Es una cosa que lleva la gente en los pies.

Sonia: *Buenos días.*
Dependienta: *Buenos días. ¿Qué desea?*
Sonia: *Solo* **estoy mirando**. *Bueno,* **estoy buscando** *un vestido. Tengo una cena esta noche y no sé qué ponerme.*
Dependienta: *Su talla es una 42 ó 44, ¿no?*
Sonia: *Sí, normalmente uso la 42.*
Dependienta: *La 42, 42... Sí, todavía nos queda alguna cosa. Tenemos este vestido negro, largo y estrecho. Este otro* **es un poco más corto**, *pero* **no es tan estrecho**. *Y este otro* **es igual de estrecho** *que el segundo modelo, pero más corto.*

Intensificadores

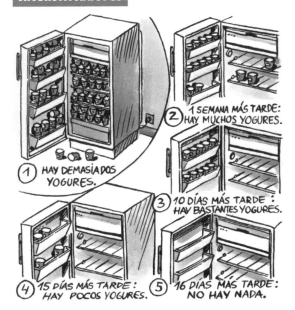

① HAY DEMASIADOS YOGURES.
② 1 SEMANA MÁS TARDE: HAY MUCHOS YOGURES.
③ 10 DÍAS MÁS TARDE: HAY BASTANTES YOGURES.
④ 15 DÍAS MÁS TARDE: HAY POCOS YOGURES.
⑤ 16 DÍAS MÁS TARDE: NO HAY NADA.

Adivina de qué objetos se habla.

a) Sirve para cambiar de canal de televisión.
b) Es para el frío.
c) Sirve para sentarse.
d) Sirve para pagar.

● Haced dos grupos. Un grupo piensa tres frases para describir tres palabras de esta unidad. Después el otro grupo adivina qué palabras son.

Haz estos elogios a tu compañero. ¿Cómo reacciona?

a) ¡Qué jersey tan bonito! ¿Es nuevo?
b) Llevas unos zapatos preciosos.
c) ¡Qué chaqueta tan bonita!

Formas y funciones

PREGUNTAR POR UNA INFORMACIÓN NUEVA
Qué → *¿Qué día de la semana te gusta más?*

PREGUNTAR POR UN OBJETO DE UN GRUPO O CATEGORÍA
Cuál → *¿Cuál te gusta más?*

HABLAR DE COSAS QUE HACEMOS EN EL MOMENTO DE HABLAR
Estoy mirando... / Estás mirando...

• Gerundio:
  • verbos en **-ar** añaden **-ando:** *mirar* → *mirando*
  • verbos en **-er** e **-ir** añaden **-iendo:**
    comer → *comiendo, vivir* → *viviendo*

COMPARAR
• **más ... que:** *Estos zapatos son más caros que los otros.*
• **menos ... que:** *Alex es menos simpático que Alfredo.*
• **tan ... como:** *Este ordenador es tan caro como el otro.*

PRONOMBRES
• De complemento directo:

	1ª per.	2ª per.	3ª per.
singular	me	te	lo/la/le
plural	nos	os	los/las

–*¿Qué hago con los yogures?*
–*¿Los pones en la nevera, por favor? / –¿Puedes ponerlos en la nevera, por favor? / –Ponlos en la nevera, por favor.*

• Posesivos:

	1ª per.	2ª per.	3ª per.
singular	mío/a	tuyo/a	suyo/a
plural	míos/as	tuyos/as	suyos/as

–*¿De quién es esta chaqueta?*
–*Es mía.*

NADA/POCO/BASTANTE/MUY/MUCHO/DEMASIADO

| (no) nada poco bastante muy demasiado | + adjetivo / adverbio | Es muy listo. Estudia muy rápido. |

| poco/a/os/as mucho/a/os/as bastante/bastantes demasiado/a/os/as | + sustantivo | Hay muchos yogures. |

Apéndice
Apartados 13, 17, 18 y 20
(páginas 119 y 120)

12 Lee el siguiente texto y contesta luego a las preguntas.

¿POR QUÉ COMPRAMOS?

Consumir, consumir, consumir... Nos parece que todo lo que tenemos no es suficiente y necesitamos más y más y más. Nuestro coche funciona bien todavía, pero el nuevo modelo —según la publicidad— es mejor. La verdad es que vamos a trabajar en metro. Es más rápido. Pero, necesitamos ese nuevo coche y un día lo compramos.

Nuestro televisor se ve y se oye bien, pero el nuevo modelo que vemos en la publicidad televisiva dicen que es mejor. La imagen es más clara —realmente se ve más clara en la pantalla de nuestro televisor— y el sonido es increíble. Parece que estamos en el cine. Además un compañero de oficina acaba de comprarse uno y toda la mañana ha hablado del nuevo aparato. Nosotros, la verdad, es que la televisión no la miramos mucho.

Preferimos ver las películas en el cine, pero ¿y si en el nuevo modelo se ve mejor una película que en el cine? El nuevo televisor es un poco caro. Demasiado caro. Pero las condiciones de compra son muy buenas. Lo podemos comprar ahora, en noviembre y no lo empezamos a pagar hasta mayo del año próximo. Y lo compramos. Hasta diciembre miramos más la televisión y vemos programas que no nos interesan nada, pero nada de nada, pero en el nuevo televisor se ven tan bien. Y además podemos comentar con el compañero de oficina todas sus maravillas. Pero la verdad es que cuando llega mayo miramos la televisión tanto o menos que antes de comprar el nuevo aparato y comentamos con el compañero de oficina que cada día los programas son más malos, que no queremos perder el

tiempo y quedamos para ir al cine porque es más divertido. Y mientras vamos hacia el cine vamos mirando en los escaparates la ropa de la nueva temporada. La verdad es que no necesitamos ropa, pero los colores y modelos son irresistibles. No podemos llevar la misma chaqueta del año pasado. Somos los únicos que cuando vamos a un bar de copas llevamos un modelo del año anterior. Así que, al día siguiente vamos a la tienda y compramos una chaqueta nueva. Si la comparamos con la chaqueta del año anterior es un poco estrecha y nos hace un poco más gordos, pero es la moda. En realidad no nos gusta mucho, pero ya vamos vestidos como todo el mundo hasta el día en que la verdad vuelve en las palabras de nuestra madre: «Hijo mío, pero, ¿qué llevas puesto?».

• Habla sobre el título del texto con tu compañero. ¿Es un título apropiado? ¿Puedes sugerir otro?

• ¿Eres del tipo de persona que se describe en el texto?

• ¿Te compras cosas que no necesitas realmente?

13 Una empresa quiere abrir una tienda en la ciudad y para ello necesita conocer el perfil del consumidor. Contesta a las preguntas de este cuestionario.

Hábitos de compra

1. ¿Quién hace normalmente la compra en tu casa?
2. ¿Qué productos compras siempre?
3. ¿Qué artículos no te gusta comprar?
4. ¿Qué día de la semana te gusta ir a comprar?

● Comenta tus respuestas con las de tu compañero. ¿Sois el mismo tipo de comprador?

● Con tu compañero, escribe otras preguntas que se pueden incluir en la encuesta. Después puedes hacer la encuesta a otra persona de la clase.

• Comprar • Comparar • Expresar cantidades • Describir objetos, lugares y acciones • Hablar de hábitos de compra

 14 **¿Dónde puedes comprar...?**

- un billete de autobús
- sellos
- sobres
- pilas
- disquetes
- hilo y aguja

- una tarjeta de teléfono
- postales
- aspirinas
- cinta adhesiva
- insecticida
- un carrete de fotos

● En tu país, ¿se compran todos estos objetos en el mismo tipo de tiendas que en España?

 15 Lee el texto y contesta luego a las preguntas.

● ¿Crees que los mercados pueden ayudarnos a conocer mejor otra cultura?

● ¿Qué mercados o qué productos pueden definir tu ciudad o tu país?

Los mercados

Nunca puedo decir que «conozco» una ciudad hasta que no visito su mercado. Cuando llego a un lugar, normalmente todos los aeropuertos me parecen iguales, y también los grandes hoteles. Todos tienen el mismo tono de colores pastel en la pared de la recepción e incluso la misma música ambiental en el ascensor. Si salgo a pasear por el centro y sigo las recomendaciones de la típica guía turística, los comercios de las calles céntricas son los mismos en casi todos los sitios del mundo.

A mí lo que me gusta más es entrar en un mercado. En las calles cercanas puedo empezar a sentir los olores. En el mercado, me encanta ver los distintos puestos con los productos locales, las frutas de distintos colores, las verduras, la carne, el pescado... Oír a los vendedores que intentan atraer la atención de los posibles compradores, a la gente que hace la compra, que saluda a un conocido al que encuentra en uno de los puestos... Me gusta observar qué compran, cómo visten, cómo se saludan... Entonces, casi siempre, compro alguno de los productos locales en uno de los puestos y pregunto qué restaurante me recomiendan para comer y siempre me contestan: la comida es la mejor manera de conocer una ciudad y un país.

Punto de vista

16 Observa las siguientes fotografías. ¿Qué objetos se ven en cada una?

a b c

● ¿Es un piso grande o pequeño? ¿Quién crees que vive en ese piso: una familia con hijos, una pareja, una persona sola?

● ¿Crees que la decoración de las casas da información sobre las personas que viven en ellas? Háblalo con tus compañeros.

17 ¿Qué puedes decir de la personalidad de Juanjo, su propietario, a partir de la decoración de su casa?

Ejemplo: Juanjo es... Su casa es...

18 ¿Cómo es tu casa? ¿Puedes describirla? Escribe un texto y dáselo a tu profesor.

Ejemplo: Mi casa tiene una habitación, una cocina y un cuarto de baño. Es muy pequeña, pero a mí me gusta mucho porque es muy alegre y tiene mucha luz.

● Adivina a qué compañero pertenece cada una de las descripciones y explica por qué.

Ejemplo: Esta casa es de... porque él/ella es muy serio/a y...

Pausa

¿Para qué quieres aprender español?

Ejemplo: Quiero aprender español para...

¿Qué puedes hacer para conseguirlo? Anota tus ideas respecto a tu plan de trabajo.

PLAN DE TRABAJO

• Número de horas a la semana.
• Lugar para trabajar el español.
• Estudiar solo o con algún compañero.

• Temas y cuestiones que quiero trabajar.
• Material de trabajo (libro, diccionario, notas de clase, otros libros...).
• Fecha de revisión de este plan de trabajo.

recuerda ¡Toma decisiones realistas y posibles! ¡Ánimo!

• Comprar • Comparar • Expresar cantidades • Describir objetos, lugares y acciones • Hablar de hábitos de compra

Actividad final

Objetivo

Organizar un mercadillo virtual con productos originales y preparar un catálogo para incluir en Internet.

Procedimiento

1 En grupos, elegid un artículo o producto para incluir en el mercadillo.

2 Después cread la página publicitaria para ese artículo con una foto y una pequeña descripción.

Escoba con glamour

¿Es usted un hombre o una mujer sofisticada? Con esta escoba usted puede barrer y no perder su glamour. El diseño del palo le da ese toque especial. La escoba perfecta para después de fiestas, recepciones... o sencillamente para no perder nunca la elegancia.

lámpara
cafetera
alfombra
nuevos productos

PRECIO
40 euros

1 2 3 4 5 6 7 8 9

otros productos curiosos

Reflexión y puesta en común

¿QUÉ TAL LA ELABORACIÓN DEL CATÁLOGO?

Seleccionar la información del producto.			
Escribir la información para el catálogo.			
Comprender las descripciones de los otros productos.			

Autoevaluación

1 ¿Puedo decir el nombre de las tiendas donde se compran estos productos?

- flores: _____
- zapatos: _____
- hilo y aguja: _____
- aspirinas: _____

 Sí   **No** *(páginas 62 y 67)*

2 ¿Puedo comparar los productos siguientes?

300,51€

555€

3.000€

999€

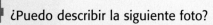 **Sí**   **No** *(páginas 61 y 65)*

3 ¿Puedo describir los productos siguientes si no conozco su nombre?

_____
_____
_____
_____
_____
_____
_____

 Sí   **No** *(página 64)*

4 ¿Puedo describir la siguiente foto?

_____
_____
_____

 Sí   **No** *(página 62)*

5 ¿Puedo completar las frases siguientes?

- Aquí tienes las flores. ¿Dónde _____ pongo?
- ¡Qué pan tan bueno! ¿Dónde _____ compras?

 Sí   **No** *(página 65)*

Cambia de trabajo

1 En busca del primer empleo. Imagina que estás buscando tu primer empleo. Lee los siguientes anuncios.

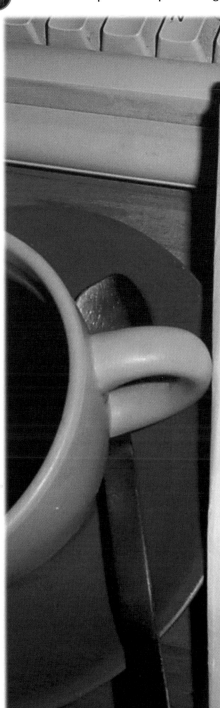

**Anuncios clasific[...]
Ofertas de trab[...]**

OFERTAS DE TRABAJO
SIN EXPERIENCIA

Referencia 1111/02
Busco canguro para cuidar niños
por las tardes. Interesad@s llamar al
912 345 678 de 8 h a 22 h.

Referencia 1112/02
Pizza-Al-Instante. Buscamos jóvenes
para nuestros restaurantes en el centro
de la ciudad. Ideal como primer empleo.
Apartado de correos 11223.
Telf. 987 654 321

Referencia 1113/02
Mensajeros. Si eres joven y tienes moto
te ofrecemos un trabajo en una multina-
cional de transportes urgentes.
Pagamos por horas. Telf.: 919 999 998

CON EXPERIENCIA

Referencia 2221/02
Restaurante francés busca ayudante de
cocina. Imprescindible experiencia en
restaurante similar. Telf.: 988 777 666
Llamar por las tardes.

Referencia 2223/02
Hotel/Restaurante en zona turística
busca camareros con experiencia para
la temporada de verano.
Llamar al teléfono 911 234 567.
Preguntar por sr. Martínez.

Referencia 2224/03
Cadena de supermercados en expansión
necesita cajeras para sus nuevos establecimientos. Imprescindible experiencia.

Solicitar entrevista con sra. Gutiérrez.
Tel. 912 123 123

TIEMPO PARCIAL

Referencia 3331/02
Azafatas/Recepcionistas contratamos
por días. También chicos. Ideal para
estudiantes. Mandar foto al apartado
de correos 2222 - 43000 Tarragona.

Referencia 3332/02
Telemóvil. Buscamos comerciales y
teleoperadores para telefonía móvil, fija
e Internet. Horario flexible.
Llamar al 998 876 665 de 8 h a 15 h.

TIEMPO COMPLETO

Referencia 4441/02
Zapatería Taconeo precisa dependientes/as.
Ofrecemos 15.000 euros brutos al año
por 40 horas semanales. Preguntar por
Purificación Navarro. Telf.: 911 112 113

Referencia 4442/03
Fuerzas armadas profesionales.
Convocatoria para hombres y mujeres de
18 a 24 años. 30.400 puestos por cubrir.
Formamos especialistas. Solicitar bases
convocatoria en el teléfono 991 113 114
de 9 h a 15 h. Citar número de referencia.

Referencia 4443/03
Banco González. Se necesitan universi-
tarios con formación en economía.
No exigimos experiencia. Contrato en
prácticas. Solicitar entrevista.
Telf.: 944 555 666

● ¿Cuál de estos anuncios es mejor para ti? ¿Por qué? Piensa en el número de horas,
tipo de trabajo, tu perfil profesional...

Comprensión y expresión oral

 2 Relaciona las siguientes frases con su uso en conversaciones telefónicas.

frases	uso y significado
a) *Diga. / Dígame.* b) *¿De parte de quién?* c) *Un momento, por favor, ahora se pone (ahora le paso con…).* d) *¿Puedo hablar con…? / ¿Está…?* e) *¿Puedo dejar un recado?* f) *No está.* g) *Ahora no se puede poner.* h) *Se equivoca.* i) *Este es el contestador de… Deja tu mensaje después de la señal.*	1. Señalar que la persona por quien se pregunta no está. 2. Preguntar quién llama. 3. Señalar que han marcado un número incorrecto. 4. Decir que se va a localizar a la persona por la que se pregunta. 5. Contestar al teléfono. 6. Preguntar por la persona con quien se quiere hablar. 7. Dejar un recado o un mensaje. 8. Decir que la persona por quien se pregunta no se puede poner al teléfono. 9. Escuchar el contestador automático.

3 Escucha las llamadas telefónicas 1-7. ¿Qué pasa en cada una?

a) La persona por la que se pregunta está hablando por otro teléfono y comunica.

b) La persona que llama se equivoca.

c) La persona por la que se pregunta no está.

d) Contesta otra persona y pasa la llamada.

e) Quedan para una entrevista.

f) Hay un contestador.

g) La persona que coge el teléfono toma un recado.

4 Hoy Manuel ha tenido una entrevista de trabajo. Relaciona estos mensajes de teléfono móvil con sus correspondientes respuestas.

1 Llamada perdida

¿Qué tal te ha ido? Teresa

Manu.¿Ya tienes curro? ¿Qué tal el jefe? G.

He sido el primero. M.

¿Has llegado a tiempo? R.

Sí, y muy bueno y el jefe muy simpático. M.

Todo fantástico. Ya te cuento. M.

● Fíjate en las formas verbales de los mensajes.

● Observa los mensajes de Manuel, ¿cómo le ha ido la entrevista de trabajo?

Gramática
Formas y funciones

 5 Escucha la conversación de Manuel y marca qué información es verdadera o falsa.

a) Manuel ha llegado tarde porque se ha dormido.

b) Manuel ha sido el último en la entrevista.

c) El jefe ha sido muy amable.

d) Manuel ha estado muy nervioso todo el tiempo.

e) Manuel cree que el trabajo es bueno.

f) Le han ofrecido un contrato.

6 Compara los comentarios de Manuel con los mensajes de la actividad 5. ¿Qué ha pasado realmente?

Ejemplo: *Manuel no ha sido el primero, en realidad ha sido el último en llegar.*

• Hablar del trabajo • Comunicarse por teléfono • Hablar de actividades pasadas relacionadas con el presente

 7 Mira las fotografías y cuenta qué ha hecho Teresa hoy. Luego compara tu versión con la de tu compañero.

Ejemplo: *Primero se ha levantado, luego...*

8 No todos los días son iguales. ¿Has hecho hoy algo diferente? Explícaselo a tu compañero.

Ejemplo: *Hoy me he levantado cinco minutos más tarde y...*

9 Escucha la conversación entre Teresa y su madre. Señala qué cosas ha hecho Teresa ya y qué cosas todavía no ha hecho.

10 ¿Querer es poder? ¿Qué cosas has querido hacer, pero nunca has podido? ¿Y tus compañeros?

Ejemplo: *Siempre he querido aprender a tocar la guitarra, pero...*

tema de conversación		sí/ya	todavía no
padre	¿Ya lo ha llamado?		
regalo del padre	¿Ya le ha comprado el regalo? / ¿Ya se lo ha comprado?		
billete	¿Ya lo ha comprado?		
reserva del billete	¿Ya la ha hecho?		
prima	¿Ya ha comido con ella?		
despedida de soltera de María	¿Ya la ha organizado?		

Gramática
Formas y funciones

• Hablar del trabajo • Comunicarse por teléfono • Hablar de actividades pasadas relacionadas con el presente

Gramática en contexto

Observa la gramática de los textos.

Así hablamos

Hablar de manera coloquial:

—Ha «llamao» tu madre.
—¿Sí? Ahora la llamo.

—Me ha «encantao» la fiesta.
—Sí, ha sido muy divertida.

Observa: En el habla coloquial muchas veces la *d* de la terminación del participio *-ado* no se pronuncia.

Hablar por teléfono:

—¿Tienes teléfono?
—Sí, es el 12, 34, 56, 78.
—Lo repito, 1, 2, 3, 4, 5, 6, 7, 8.
—Sí, eso es.

—¿Tienes teléfono?
—Sí, es el 1, 23, 45, 67.
—Lo repito, 1, 23, 45, 67.
—Sí, eso es.

Observa: Para dar el número de teléfono podemos decir las cifras de una en una o de dos en dos, pero si el número de cifras es impar, podemos dar la primera cifra sola y decir el resto de dos en dos.

—¿Diga?
—Hola María, soy Ana.

—Telemóvil, dígame.
Le habla Aurora.
—Mire, necesito información sobre...

Observa: Normalmente (excepto en tiendas, empresas, negocios...) no nos identificamos en el momento de contestar al teléfono. La persona que llama se identifica antes.

Empleado: *Llamo de Pizza-al-instante.*
Mujer: *¿Quién?*
Empleado: *De Pizza-al-instante. ¿Está José García?*
Mujer: *Sí, pero ahora no se puede poner. Está en la ducha.*
Empleado: *¿Puede darle un recado por favor?*

Teresa: *¿Diga?*
Manolo: *¿Teresa? Soy Manuel.*
Teresa: *¡Hola Manuel! ¿Qué tal?*
Manolo: *Bien.*
Teresa: *¿Qué pasa?*
Manolo: *Bueno, es que **hoy he tenido** la entrevista.*
Teresa: *¡Ah! Es verdad. Y ¿qué tal?*
Manolo: *Bueno. Primero **he llegado** tarde.*
Teresa: *¿Qué dices?*
Manolo: *Me he dormido. Bueno, **total que he sido** el último para la entrevista.*
Teresa: *Pero, ¿**cómo te ha ido**?*
Manolo: *Bien, pero el jefe ha sido muy simpático. Al principio de la entrevista **he estado** muy nervioso, pero luego...*

 ¿Cómo te identificas en español al contestar al teléfono? Compara tu respuesta con la de tu compañero.

 ¿Cómo dices el número de teléfono en tu idioma? Háblalo con tus compañeros.

Formas y funciones

PRETÉRITO PERFECTO

verbo *haber*	+	participio
he		viajado
has		estado
ha	+	tenido
hemos		bebido
habéis		salido
han		vivido

- **Regulares:**
  - **–ar → ado:** viajar → viajado; estar → estado
  - **–er/–ir → ido:** tener → tenido; beber → bebido; salir → salido; vivir → vivido

- **Irregulares:**

hacer → hecho	volver → vuelto
ver → visto	escribir → escrito
decir → dicho	poner → puesto
morir → muerto	descubrir → descubierto

- **Usos:**

  Se utiliza para hablar de actividades pasadas relacionadas con el presente. Aparece normalmente con estas expresiones temporales:

  > hoy/últimamente/normalmente
  > este año/mes/verano
  > esta mañana/tarde/semana
  > estos días/meses/años
  > estas vacaciones/semanas
  > alguna vez/varias veces/muchas veces
  > nunca

  Se utiliza para hablar de experiencias pasadas sin concretar el momento en que han sucedido:

  > –¿Has estado alguna vez en Barcelona?
  > –Sí, he ido muchas veces. / No, no he ido nunca.

  También se utiliza para **comprobar** si algo ha sucedido:

  > –¿**Ya** has hecho los deberes?
  > –Sí, **ya** los he terminado. / No, **todavía**, no.

PRONOMBRES CD, CI

	CD/CI 1ª pers.	CD/CI 2ª pers.	CI 3ª pers.	CD 3ª pers.
singular	me	te	le	lo/la/le
plural	nos	os	les	los/las

- **Orden de los pronombres:**
  Se colocan delante de la forma verbal, pero siempre van después del infinitivo:
  ¿**Le** puede dar un recado?
  ¿Puede dar**le** un recado?

Apéndice
Apartados 20 y 21
(páginas 120 y 121)

Textos para... ...escribir un correo electrónico

11 Observa este mensaje de correo electrónico. ¿Qué significan los términos en azul?

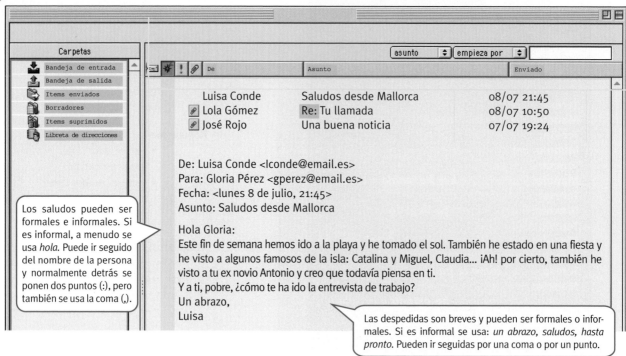

	De	Asunto	Enviado
	Luisa Conde	Saludos desde Mallorca	08/07 21:45
📎	Lola Gómez	Re: Tu llamada	08/07 10:50
📎	José Rojo	Una buena noticia	07/07 19:24

De: Luisa Conde <lconde@email.es>
Para: Gloria Pérez <gperez@email.es>
Fecha: <lunes 8 de julio, 21:45>
Asunto: Saludos desde Mallorca

Hola Gloria:
Este fin de semana hemos ido a la playa y he tomado el sol. También he estado en una fiesta y he visto a algunos famosos de la isla: Catalina y Miguel, Claudia... ¡Ah! por cierto, también he visto a tu ex novio Antonio y creo que todavía piensa en ti.
Y a ti, pobre, ¿cómo te ha ido la entrevista de trabajo?
Un abrazo,
Luisa

> Los saludos pueden ser formales e informales. Si es informal, a menudo se usa *hola*. Puede ir seguido del nombre de la persona y normalmente detrás se ponen dos puntos (:), pero también se usa la coma (,).

> Las despedidas son breves y pueden ser formales o informales. Si es informal se usa: *un abrazo, saludos, hasta pronto*. Pueden ir seguidas por una coma o por un punto.

12 Lee el correo electrónico que ha escrito Luisa y fíjate en el saludo y en la despedida. ¿Es un saludo y una despedida formal o informal? ¿Qué expresiones formales para saludar y despedirse conoces?

13 Has recibido estos mensajes. Escribe las respuestas.

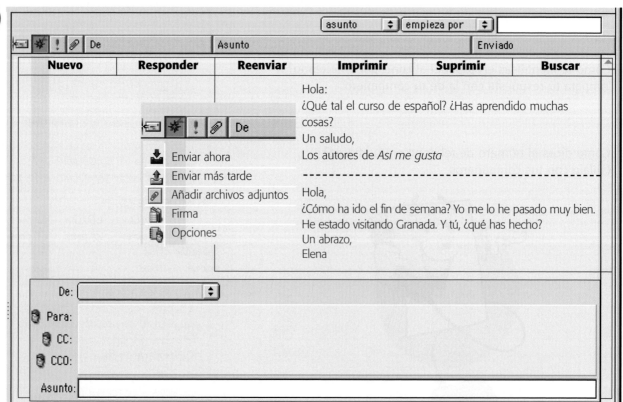

asunto ⬍	empieza por ⬍	

	De	Asunto	Enviado

Nuevo	Responder	Reenviar	Imprimir	Suprimir	Buscar

Hola:
¿Qué tal el curso de español? ¿Has aprendido muchas cosas?
Un saludo,
Los autores de *Así me gusta*

Hola,
¿Cómo ha ido el fin de semana? Yo me lo he pasado muy bien. He estado visitando Granada. Y tú, ¿qué has hecho?
Un abrazo,
Elena

	De	
⬇	Enviar ahora	
⬆	Enviar más tarde	
📎	Añadir archivos adjuntos	
📋	Firma	
📑	Opciones	

De: [⬍]
Para:
CC:
CCO:
Asunto:

¿Existen también estas profesiones/trabajos en tu país? ¿Hay algunos trabajos específicos de tu país? Háblalo con tus compañeros.

 Aquí tienes algunas expresiones utilizadas en la comunicación telefónica en el español de España y en el de Iberoamérica. ¿Puedes relacionarlas?

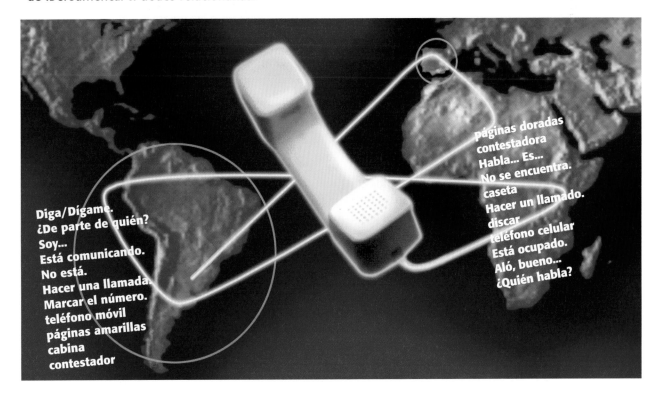

• Hablar del trabajo • Comunicarse por teléfono • Hablar de actividades pasadas relacionadas con el presente

Punto de vista

16 Observa las siguientes fotografías y explica qué están haciendo estas personas.

- ¿Qué trabajo está haciendo cada una de las personas que aparece en las fotografías? ¿Son profesiones u ocupaciones temporales? ¿Se necesita formación específica para realizarlos?
- ¿Son trabajos adecuados para todas las edades? Compara tu información con la de tus compañeros.

17 Lee los siguientes textos sobre algunos aspectos relacionados con el ámbito laboral en la sociedad española. ¿Qué opción de trabajo te gusta más?

El trabajo en las diferentes etapas de la vida

Cada vez hay más estudiantes que trabajan en su tiempo libre para ganar algo de dinero al mismo tiempo que realizan sus estudios. Suelen ser trabajos por horas o a tiempo parcial. No ganan mucho dinero, pero tampoco tienen que trabajar muchas horas. Podemos ver a jóvenes cuidando niños en los parques, paseando perros o repartiendo pizzas por las calles de nuestras ciudades. La situación cambia cuando se hacen mayores o ya han acabado sus estudios. Entonces los jóvenes quieren trabajos más estables, a tiempo completo, y, por supuesto, con un salario más alto.

Una nueva posibilidad: trabajar en casa

Actualmente las ofertas de trabajo son muy diferentes a las de antes. Las empresas requieren los servicios de informáticos, diseñadores de páginas *web*, programadores, televendedores. Todos estos son trabajos que pueden realizarse en casa sin ir a una oficina. Esto tiene ventajas, porque podemos organizar nuestros horarios más libremente y no perdemos tiempo en desplazamientos; pero también tiene inconvenientes: cada vez estamos más aislados y tenemos menos posibilidades de comunicarnos con los demás.

- ¿En tu país son posibles estos tipos de trabajo? En tu caso, ¿realizas «trabajos de estudiante», has terminado tus estudios o tienes un trabajo estable? Compara tu información con la de tus compañeros.

- Hablar del trabajo • Comunicarse por teléfono • Hablar de actividades pasadas relacionadas con el presente

Actividad final

Objetivo

Hacer un informe sobre los resultados conseguidos hasta el momento en el curso de español:
- ¿Qué aspectos han cambiado en tu vida desde que has empezado a estudiar español?
- ¿Qué aspectos no han cambiado todavía?

Procedimiento

1 Escribid un informe breve sobre cómo ha ido el curso hasta ahora.

2 Vuestro informe puede incluir un apartado individual y otro como grupo clase.
Las preguntas del informe pueden ser estas:

- ¿Qué has aprendido?
- ¿Qué has hecho ya en la clase de español?
- ¿Qué no has hecho todavía?
- ¿Has llamado por teléfono en español? ¿Cuántas veces?
- ¿Cuántas personas has conocido que hablan español (en el trabajo, estudios...)?
- ¿Qué experiencias nuevas has tenido, en cuanto a películas, cine, otras actividades...?

Reflexión y puesta en común

¿QUÉ TAL LA ELABORACIÓN DEL INFORME?

Seleccionar la información.		
Escribir la información.		
Comprender a los compañeros.		
Presentar el informe.		

1 Si contesto al teléfono, ¿sé responder en estas situaciones?

¿Qué dices cuando....?:
• La llamada no es para ti y la persona no está: _____
• La llamada no es para ti y la persona está: _____

Ya sé hacerlo   Todavía no   → (página 72)

2 ¿Puedo escribir qué he hecho esta mañana desde que me he levantado hasta que he llegado a la escuela?

Primero..., luego..., después... _____
_____

Ya sé hacerlo   Todavía no   → (página 73)

3 ¿Puedo completar las frases siguientes?

• Casi siempre me levanto a las 6.30 h, pero hoy _____ a las 8.30 h porque _____
_____

• Normalmente viajo mucho, pero este año todavía no _____ porque _____
_____

• Esta mañana _____

Ya sé hacerlo   Todavía no   → (página 75)

4 ¿Puedo escribir la forma del participio de los siguientes verbos?

• ver: _____
• escribir: _____
• decir: _____
• poner: _____
• hacer: _____

5 ¿Puedo completar el siguiente correo electrónico?

Hola Alberto:
No he llamado al profesor porque _____ he encontrado y ya _____ lo he dicho todo.
_____ María

Ya sé hacerlo   Todavía no   → (página 75)

Ya sé hacerlo   Todavía no   → (páginas 75 y 76)

6 ¿Puedo decir tres cosas que he aprendido en esta unidad?

_____
_____
_____

Ya sé hacerlo   Todavía no   → (página 79)

8 Cuídate

1 ¿Cómo se llaman las cuatro estaciones del año?

● ¿Cuándo empieza cada una?
● Y en tu país, ¿cuántas estaciones hay?

ENERO · FEBRERO · MARZO · ABRIL · MAYO · JUNIO

Treinta días tiene noviembre, con abril, junio y septiembre; veintiocho tiene uno y el resto treinta y uno.

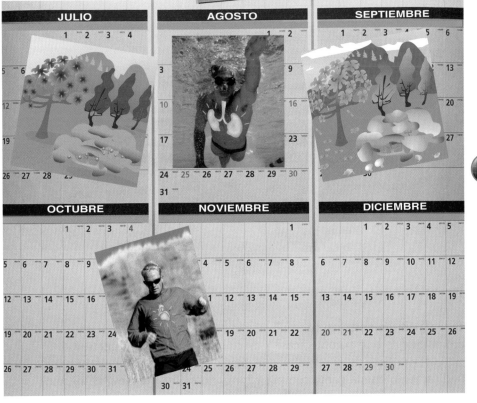

JULIO · AGOSTO · SEPTIEMBRE · OCTUBRE · NOVIEMBRE · DICIEMBRE

2 ¿Te gustan estos deportes?

● ¿Practicas o has practicado algún deporte alguna vez?
● ¿Estás en buena forma física?

● Hablar sobre el tiempo ● Hablar sobre la salud ● Hablar de las sensaciones ● Dar consejos

Comprensión y expresión oral

 3 ¿Qué problemas de salud son los más habituales entre los europeos? ¿En qué porcentaje?

Ejemplo: El 81% de los británicos tiene resfriados y fiebre.
Y al 63% le duele la cabeza.

Las dolencias más comunes en Europa

%	España	Bélgica	Alemania	Italia	Países Bajos	Francia	Reino Unido
Fiebre/resfriado	70	69	51	65	51	64	81
Dolor de cabeza	48	43	35	46	35	49	63
Fatiga	31	40	14	29	14	47	45
Reumatismo	33	34	32	49	32	43	38
Ansiedad/insomnio	41	42	25	37	25	41	39
Problemas digestivos	27	32	22	33	22	34	28

(Texto adaptado de la *revista Quo*)

● Y tú, ¿qué problemas de salud tienes?, ¿qué te duele normalmente?

Gramática
Formas y funciones

 4 ¿Qué hacen los españoles cuando están enfermos? ¿Van al médico o se automedican? Lee, escucha y completa la información que falta.

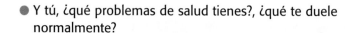

• Casi el 50% de los españoles _____
• Si no es grave, la gente primero _____
• Un 6% dice que cuando le duele algo _____
• Un 17% no va al médico, pero _____
• Un 5% toma _____
• Un 25% compra _____

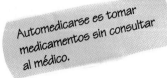

Automedicarse es tomar medicamentos sin consultar al médico.

 5 Completa la información de la estadística con las nacionalidades que se mencionan.

PORCENTAJE DE EUROPEOS QUE VAN AL MÉDICO ANTES DE TOMAR UN MEDICAMENTO

El 25% de los _____
El 13% de los _____
El 27% de los _____

● ¿El gobierno subvenciona los medicamentos en tu país?
● Y tú, ¿vas siempre primero al médico o te automedicas? Y en tu país, ¿qué hace la gente normalmente?
● En tu país, ¿hay algún medicamento que la gente compra y toma normalmente sin ir al médico?

• Hablar sobre el tiempo • Hablar sobre la salud • Hablar de las sensaciones • Dar consejos

6 Escucha esta entrevista con un médico. Completa la tabla con algunas de las actividades más típicas de cada estación del año y los problemas de salud correspondientes.

estaciones del año				
	invierno	verano	primavera	otoño
actividades	La gente va a esquiar.			La gente vuelve al trabajo y al colegio…
problemas de salud		Quemaduras de sol, problemas de estómago y fiebres…	La gente tiene alergias…	

7 Ver, oír, oler, tocar, saborear. Los cinco sentidos: la vista, el oído, el olfato, el tacto y el gusto. ¿Cuál es tu sentido más desarrollado?

● ¿Qué sentido usas mejor normalmente? ¿Para qué lo usas? Háblalo con tu compañero.

8 Escucha estas recomendaciones para mejorar tus sentidos y completa esta información.

Mirar con atención
Intenta ver la televisión sin el volumen. Puedes descubrir todas las cosas que aparecen sin sonido.
_____ tus pulgares delante de los ojos, separados unos cinco cm. _____ a lo lejos y desenfoca la imagen para ver tres dedos y no solo dos. _____ para ver los tres dedos sin problema.
Para mejorar la memoria visual, _____ bien la posición que tiene un amigo. Luego, _____ los ojos y _____ que cambie un pequeño detalle de su posición… Descubre qué ha cambiado.

Afinar el oído
_____ la televisión con los ojos cerrados. _____ saber solo por el sonido qué pasa. _____ en pequeñas cosas, como la lluvia, el viento, un río, etc. _____ escuchar el sonido de tu corazón y de tu respiración.
En la calle _____ qué sonidos oyes, seguro que si prestas atención, oyes más de lo normal.
_____ a escuchar música, desde ritmos suaves con cada uno de los instrumentos hasta músicas complicadas. Diferencia sus sonidos.

Tocar para ver
_____ a tomar el pulso y practícalo con amigos.
_____ la ropa con la luz apagada o toca tu ropa del armario. ¿Qué tocas?
_____ en la mesa monedas de diferentes tamaños y _____ con los ojos cerrados para saber la cantidad.

¿A qué huele?
_____ delante de ti distintas frutas y verduras y huélelas para reconocerlas. Luego, con los ojos cerrados, ____ y vuelve a olerlas. ¿Qué son?
_____ que tienes en la mano un limón y lo hueles. Recuerda cómo es el olor.
_____ en la cocina sin mirar e intenta por el olor saber qué hay para comer.
_____ por la calle y huele, intenta diferenciar olores como la gasolina, perfumes, etc.

Sabor, sabor…
_____ varios vasos con agua, uno con agua del grifo, otro con agua natural, uno con azúcar, otro sin azúcar…
Después prueba esos vasos de agua.
_____ diferentes tipos de té. Pruébalos.
_____ comida de diferentes países. ¿Qué llevan?

9 Practica con tus compañeros. Sigue estos pasos:

Gramática
Formas y funciones

• Cierra los ojos en clase y escucha, ¿qué oyes?
• Explica a qué huele tu coche, tu casa, tu ciudad…
• Coloca varios objetos encima de una mesa, míralos durante un minuto.
Después un compañero los cambia y tú dices qué objetos han cambiado de lugar.
• Piensa en los sabores que más te gustan y cuéntaselo a tu compañero.

● En grupos, cada equipo elige un sentido y hace sugerencias sobre cómo mejorarlo.

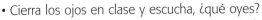

• Hablar sobre el tiempo • Hablar sobre la salud • Hablar de las sensaciones • Dar consejos

Gramática en contexto

 Observa la gramática de los textos.

Entrevistadora: *Doctor Reventós, ¿tenemos durante el año las mismas enfermedades o cambian si es invierno o verano?*

Doctor Reventós: *Sí, realmente cambian y mucho... [...]*

Entrevistadora: *¿Puede poner algún ejemplo doctor?*

Doctor Reventós: *Sí, mire **en invierno hace frío, llueve** y la gente **tiene gripes**, resfriados y claro no va a trabajar. Pero además, también en invierno, en muchos lugares **nieva** o hay nieve cerca y a la gente le gusta esquiar, ir a pasear por la nieve y entonces, ¿qué pasa? Pues que la gente se cae, se rompe piernas o brazos, etc.*

Entrevistadora: *Y ¿en verano? ¿Hay alguna relación entre las enfermedades **y el tiempo libre**?*

Doctor Reventós: *Claro. Aquí en nuestro país, la gente piensa que cuando **hace calor** no hay enfermedades y no es verdad. La gente viaja a la playa y toma el sol sin ponerse crema protectora y **se quema**. Y claro, también está el tema de los viajes. La gente cuando viaja a otros lugares, puede **sentirse mal**...*

Dar consejos

SI TE DUELE LA CABEZA, VE AL MÉDICO.

SI PRACTICAS DEPORTE, TEN CUIDADO.

SI VIAJAS A PAÍSES CON SELVA, PONTE UNA CREMA CONTRA LOS MOSQUITOS.

Así hablamos

Hablar de la salud:

Me duele la cabeza.

Observa: Cuando informamos de la parte que nos duele no empleamos el posesivo. No decimos: *Me duele mí cabeza.* Decimos: *Me duele la cabeza.*

¡Ay!

Observa: En español, cuando uno se hace daño, se cae, dice: *¡Ay!*

Observa: En español existen expresiones con partes del cuerpo:

a

*Alberto **tiene mano izquierda** para resolver problemas.* ('sabe cómo solucionar situaciones problemáticas')

b

***Quieren empezar con buen pie** su nueva vida y han invitado a todos sus amigos.* ('quieren empezar bien algo')

c

*Miguel **tiene mala pata**: un pájaro ha estropeado su traje nuevo.* ('tiene mala suerte')

SI TOMAS EL SOL, USA CREMA PROTECTORA.

SI VISITAS OTROS PAÍSES, TEN CUIDADO CON LAS COMIDAS PICANTES.

d Marisa **está hasta las narices** de los partidos de fútbol. ('está cansada de algo')

e Emilio **tiene buen ojo**. Ha comprado un buen coche a buen precio. ('sabe elegir')

Escucha los siguientes diálogos y selecciona una frase del recuadro para dar información sobre estas personas.

a) Alejandro...
b) Lourdes...
c) Antonio...
d) Juan...
e) Pedro...

• Tiene mano izquierda con la gente.
• Está hasta las narices del ordenador.
• Tiene buen ojo para los pisos.
• Tiene mala pata con las chicas.
• Ha empezado con buen pie su trabajo.

● Y en tu lengua, ¿hay expresiones con partes del cuerpo?

¿Qué dices en tu lengua cuando te haces daño?

HABLAR DEL TIEMPO

Hace (mucho, poco, bastante) { frío / calor / viento / aire

Estamos a 20° grados / a 5° grados bajo cero
Nieva.
Llueve.

HABLAR DEL ESTADO DE SALUD

¿Cómo estás? / ¿Cómo te encuentras?
Me duele la cabeza. / **Me** duelen las muelas.
Tengo un dolor de cabeza horrible.

VERBO DOLER

me duele
te duele
le duele
nos duele   } la cabeza
os duele
les duele

me duelen
te duelen
le duelen
nos duelen   } las muelas
os duelen
les duelen

ESTRUCTURA DE UNA CONDICIÓN

• Si → **presente** + **presente**: *Si la gente tiene problemas de salud, va al médico.*
• Si → **presente** + **imperativo**: *Si te encuentras mal, llama al médico.*

IMPERATIVO

–ar	–er	–ir	
tom-**a**	aprend-**e**	viv-**e**	(tú)
tom-**e**	aprend-**a**	viv-**a**	(usted)
tom-**ad**	aprend-**ed**	viv-**id**	(vosotros/as)
tom-**en**	aprend-**an**	viv-**an**	(ustedes)

• **Pronombres + imperativo**
Con el imperativo, el pronombre se pone al final y se escribe todo junto:
*Pon**te** un jersey, hace frío.*
*Píde**le** a María su número de teléfono.*

Apéndice
Apartados 22 y 23
(páginas 121 y 122)

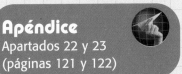

Textos para...   ...comprender el lenguaje médico

10 Marca con una cruz (X) la información que tú crees que es importante saber antes de tomar un medicamento.

- Para qué es.
- Cuándo y qué cantidad se toma.
- Si es para niños o adultos.
- Efectos negativos.
- Cómo se toma el medicamento.
- Qué pasa si se toma demasiado.
- Qué lleva el medicamento.
- Cómo funciona en el cuerpo.
- Si se puede tomar o no con otros medicamentos.

11 ¿Tienes botiquín en casa? Di dos productos u objetos que contiene el botiquín. ¿Para qué sirve cada uno?

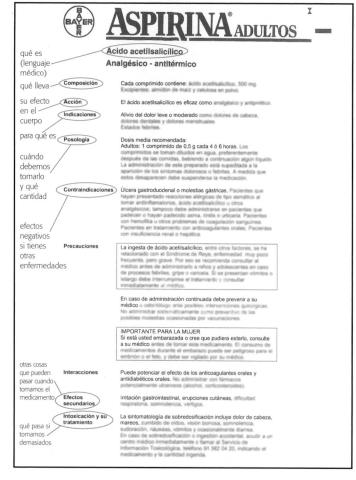

12 En grupos, elige con tus compañeros tu botiquín ideal:

- Prepara una lista con los medicamentos y objetos más importantes (si no sabes cómo se llaman pregunta a tu profesor).
- Explica para qué sirve cada uno.

Ejemplo: Nuestro botiquín tiene aspirinas, que son pastillas para el dolor de cabeza.

• Hablar sobre el tiempo • Hablar sobre la salud • Hablar de las sensaciones • Dar consejos

13 ¿Te gusta el calor o prefieres el frío? ¿Cambia tu carácter cuando hace frío o calor? ¿Por qué?

El calor y las altas temperaturas son buenas para la salud. Algunos médicos recomiendan el calor en algunas partes del cuerpo para curar el dolor. Todos saben que las saunas y los baños de vapor son buenos para la salud y un buen baño con agua caliente ayuda a relajarse y a dormir bien.

El frío es bueno para muchas personas. Cuando hace frío el cuerpo necesita moverse y funciona mejor. El aire fresco de la mañana ayuda a respirar. Un baño con agua fría es bueno para despertar los sentidos y acabar con el cansancio.

14 ¿Conoces algún remedio natural y sencillo para algún problema de salud? Prepara la información en grupo según los modelos y preséntalo al resto de la clase.

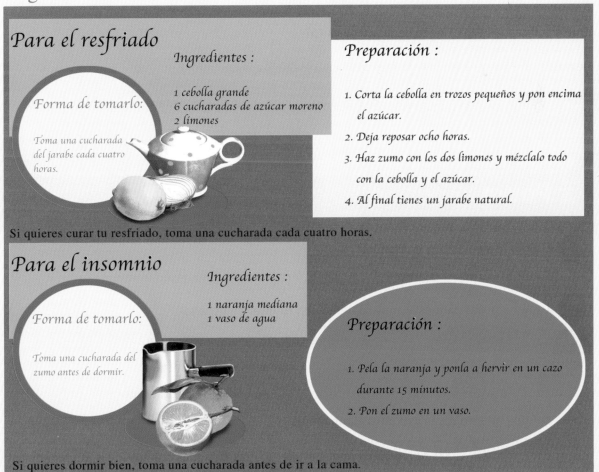

Algunas recomendaciones tradicionales

Para el resfriado

Ingredientes :

1 cebolla grande
6 cucharadas de azúcar moreno
2 limones

Forma de tomarlo:

Toma una cucharada del jarabe cada cuatro horas.

Preparación :

1. Corta la cebolla en trozos pequeños y pon encima el azúcar.
2. Deja reposar ocho horas.
3. Haz zumo con los dos limones y mézclalo todo con la cebolla y el azúcar.
4. Al final tienes un jarabe natural.

Si quieres curar tu resfriado, toma una cucharada cada cuatro horas.

Para el insomnio

Ingredientes :

1 naranja mediana
1 vaso de agua

Forma de tomarlo:

Toma una cucharada del zumo antes de dormir.

Preparación :

1. Pela la naranja y ponla a hervir en un cazo durante 15 minutos.
2. Pon el zumo en un vaso.

Si quieres dormir bien, toma una cucharada antes de ir a la cama.

• Hablar sobre el tiempo • Hablar sobre la salud • Hablar de las sensaciones • Dar consejos

Punto de vista

15 Relaciona las fotografías con las siguientes expresiones.

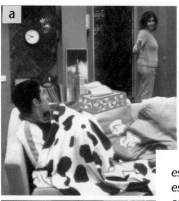

está ardiendo   ¡Que te mejores!
está hecho/a polvo   llueve a mares
está como una sopa   hace un frío que pela

¡Salud!

16 ¿Qué significan las expresiones de la actividad 15?

Ejemplo: «Está ardiendo» quiere decir que la persona tiene mucha fiebre.

● ¿Hay alguna expresión parecida o divertida en tu lengua para estas situaciones? Háblalo con tus compañeros.

Pausa

¿Cómo te sientes con tu español?

Ejemplo: Cuando hablo español... me siento bien / me siento un poco incómodo/a.

¿Qué necesitas para estar más contento con tu nivel de español?

- Hablar más.   • Ser menos exigente.   • No pensar tanto en los errores.

- Escribir más.   • Revisar más la gramatica.

- Estar más motivado.   • Aprender más vocabulario.

● Comparte tus ideas con otros compañeros.

recuerda Quizá tú también puedes ayudar a otras personas con tus ideas. ¡Compártelas!

• Hablar sobre el tiempo • Hablar sobre la salud • Hablar de las sensaciones • Dar consejos

Actividad final

ESCOJA SU FIN DE SEMANA VIRTUAL

Empresa especializada en actividades de ocio le organiza su tiempo libre, salidas de riesgo, cenas en lugares exóticos, excursiones para un fin de semana de aventura, etc.

Incluso si quiere algo diferente, todo es posible sin moverse de una silla gracias a nuestra moderna y alta tecnología del siglo XXI. Atrévase a disfrutar de un fin de semana virtual.

La oferta de este mes incluye gratis la selección del tiempo meteorológico desde terremotos, tormentas, o sol del desierto. Puede optar por hacer el viaje virtual usted solo, con su pareja o en grupo.

Tenemos grandes ofertas esta temporada: vuelos a Marte, visitas sin moverse de casa, safari a JurasoParque, la última aventura con Indiana López, entrevista y concierto con Ricky Marte, cena con Dali Lami, reunión con El Presidente de..., etc.

Si está interesado, escríbanos y explique qué tipo de viaje quiere.

(Complete el impreso adjunto)

Objetivo

Organizar el fin de semana virtual a medida para el grupo de la clase.

Ficha de inscripción para el fin de semana virtual

Nº de personas: _____
Descripción de las personas (físico y personalidad): _____
Gustos: _____
Número de actividades deseadas: _____

Qué quiere ver, oler, tocar, etc.: _____
_____
Lugares: _____
Tipo de clima: _____
Estado de salud de las personas del grupo: _____
¿Tiene un seguro médico? _____

Procedimiento

1 Forma un grupo con algunos compañeros de clase. Completa la ficha del «fin de semana virtual» teniendo en cuenta:

- ¿Cuántos sois?
- ¿Qué y cuántas actividades queréis hacer? ¿Dónde? ¿Cuándo?

2 Recuerda que necesitáis:

- Vocabulario específico.
- Verbos en presente para hablar de planes.
- Formas del imperativo para consejos.
- Condiciones.

3 Después presenta junto a tu grupo vuestro plan para el «fin de semana virtual» al resto de la clase.

4 Al final decidid qué opción presentada os gusta más.

Reflexión y puesta en común

¿QUÉ TAL EL PLAN PARA EL FIN DE SEMANA?

Seleccionar y escribir la información.			
Comprender a los compañeros.			
Presentar la información.			

• Hablar sobre el tiempo • Hablar sobre la salud • Hablar de las sensaciones • Dar consejos

Autoevaluación

1 ¿Puedo hablar sobre el tiempo que hace y comentar qué estación del año me gusta más y por qué?
Explica qué tiempo hace hoy:

_____
_____
_____
_____

➕ **Sí** ☠ **No** (páginas 81 y 83)

2 Si tengo un problema de salud, ¿puedo decir qué me duele?
Pon un ejemplo:

_____
_____
_____
_____

➕ **Sí** ☠ **No** (página 82)

3 ¿Sé cómo se dicen en español las partes más importantes del cuerpo?
Completa los cuadros.

➕ **Sí** ☠ **No** (página 82)

4 ¿Puedo usar correctamente las formas *me duele/me duelen*?
Pon un ejemplo:

_____
_____
_____
_____

➕ **Sí** ☠ **No** (páginas 82 y 85)

5 ¿Puedo dar consejos a una persona?
Completa la segunda parte de estas frases:

Si tienes dolor de barriga, _____
_____

Si quieres ir a la playa, _____
_____

➕ **Sí** ☠ **No** (páginas 84, 85 y 87)

6 ¿Sé qué tipo de información puedo encontrar cuando se habla de «posología»?
Puedo encontrar información... _____
_____

➕ **Sí** ☠ **No** (página 86)

7 ¿He aprendido las formas del imperativo?
Completa con las formas de imperativo en las siguientes personas:

	tomar	ponerse	hacer
tú	_____	_____	_____
usted	_____	_____	_____

➕ **Sí** ☠ **No** (página 85)

8 ¿He aprendido alguna expresión con una parte del cuerpo?
Pon un ejemplo de una expresión que te gusta y di cómo se puede utilizar:

_____

➕ **Sí** ☠ **No** (páginas 84 y 85)

9 ¿Conozco ahora algún remedio tradicional que usan otras personas para curar?
Pon un ejemplo: _____

➕ **Sí** ☠ **No** (página 87)

Haz planes

1 Relaciona estos textos con las imágenes correspondientes.

- Japón, invierno de 1990. *Conocí a las chicas de Madrid.*
- México, verano de 1985. *Con el poncho que me compré en México DF.*
- Túnez, primavera de 1992. *Cuando monté en camello.*
- Irlanda, otoño de 1982. *La primera vez que viajé solo.*
- EEUU, verano de 1980. *Con el coche que alquilamos para viajar de costa a costa.*
- Suiza, Navidad de 1984. *Me rompí la pierna esquiando.*

2 ¿Sueles hacer fotos en tus viajes? ¿Cuándo fue la última vez que viajaste? ¿Adónde fuiste?

- Escribe un breve comentario para la foto favorita de tu último viaje.

• Hablar de viajes realizados y planear viajes futuros • Hablar de actividades realizadas en el pasado • Aconsejar

Comprensión y expresión oral

3 Escucha la conversación y contesta a las preguntas.

- ¿Cuántas veces ha estado Pepe en La India?
- ¿Cuándo?
- ¿En qué ciudades?

> La primera vez fui a Bombay. Allí estuve un mes.

Gramática
Formas y funciones

4 Y tú, ¿puedes señalar el itinerario de alguno de tus viajes?

5 Escucha de nuevo. ¿Qué consejos sobre los siguientes aspectos ofrece Pepe para viajar a La India?

- la ropa: _____
- las vacunas: _____
- el alojamiento: _____
- la comida: _____

6 Anota la información que crees necesaria para alguien que quiere visitar tu país.

● Compara tu información con la de tu compañero.

7 Viajes a través de la Historia. Relaciona los lugares con las fechas y los personajes.

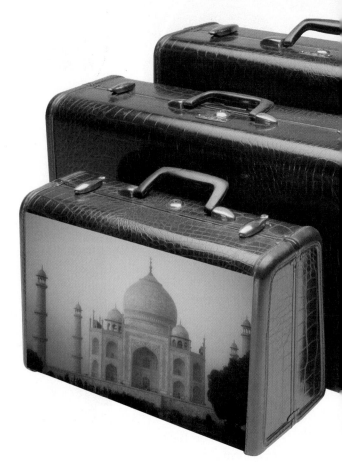

Juan Sebastián Elcano · 1275 · Cristóbal Colón · 1969 · Neil Armstrong · Marco Polo · 1522 · 1492

● Y tú, ¿has viajado mucho? Marca en este mapa los lugares que has visitado y anota la fecha.

• Hablar de viajes realizados y planear viajes futuros • Hablar de actividades realizadas en el pasado • Aconsejar

 Roberto y Carla hablan sobre sus próximas vacaciones. Relaciona la información que da cada uno.

	Roberto	Carla
• Ya ha estado de vacaciones.	❏	❏
• Piensa quedarse en casa.	❏	❏
• Va a estar el mes de agosto fuera.	❏	❏
• Quiere visitar Olympia y Delfos.	❏	❏

● ¿Qué expresiones utilizan Roberto y Carla para hablar de sus planes y proyectos?

● Pregunta a tu compañero qué planes tiene para sus próximas vacaciones.

Gramática
Formas y funciones

9 En la agencia. Escucha y relaciona la siguiente información.

PC	No viajar de forma organizada.
MP	Tener hotel, desayuno, comida y cena reservados.
AD	Tener hotel, desayuno y una comida reservados.
Viajar por cuenta propia	Tener hotel y desayuno reservados.

10 Y tú, ¿prefieres los viajes organizados o viajar por tu cuenta? ¿Por qué?

● Y tú compañero, ¿qué prefiere?

11 Escucha la siguiente conversación y señala el nombre de los elementos 1-5 de la imagen.

SALIDAS INTERNACIONALES

PUERTA A

POLICÍA

• Hablar de viajes realizados y planear viajes futuros • Hablar de actividades realizadas en el pasado • Aconsejar

Gramática en contexto

 Observa la gramática de los textos.

> *He estado tres veces. Fui en el 95, en el 97 y en el 99. La primera vez estuve un mes, la segunda estuve dos meses y la tercera estuve dos meses y medio. Y quiero ir otra vez, pero ahora ya no tengo tantas vacaciones, desde que trabajo...*

Planes y proyectos

¡ FELICIDADES, HAN GANADO EL MILLÓN DE EUROS !, ¿ QUÉ PIENSAN HACER CON EL PREMIO ?

VAMOS A COMPRAR UN COCHE.

TAMBIÉN VAMOS A COMPRAR UNA CASA.

ADEMÁS QUEREMOS VIAJAR.

Así hablamos

Hablar del pasado (variantes hispanas):

En Madrid:

Hoy me he levantado tarde y no he tenido tiempo para desayunar.

En Buenos Aires:

Hoy me levanté tarde y no tuve tiempo para desayunar.

Observa: Existen diferencias en el uso del pretérito perfecto y del pretérito indefinido en los diferentes lugares de habla hispana. En algunas zonas se utiliza el pretérito indefinido con el mismo valor que el pretérito perfecto.

Utilizar siglas:

¿Has sacado ya los billetes del AVE?

Observa: En español si las siglas contienen vocales, se leen como si fueran una palabra, pero si no es así se deletrean: AVE, RENFE, (México) DF.

En español algunas siglas presentan un orden diferente respecto a otras lenguas: SIDA, OTAN, ONU, ONG.

Algunas siglas en español son completamente diferentes respecto a otras lenguas: OVNI.

Actividades en pasado

Teléfono
Lo inventó Alexander Graham Bell en 1876 en EEUU.

Inventos que cambiaron el mundo o... por lo menos lo intentaron

Televisión
La primera emisión la realizó John Logie Baird en 1926 en el Reino Unido.

Coche
El primero lo fabricó Karl Benz en 1885 en Alemania.

Bicicleta
Su inventor fue John Stanley en 1885 en el Reino Unido.

Máquina de coser
La primera máquina que funcionó de manera regular fue en 1830 en Francia. La inventó Barthélemy Thimonner.

Cremallera
En 1913 la patentó Gideon Sundback en EEUU.

Chicle
El chicle lo inventó el fotógrafo Thomas Adams en 1870 en EEUU.

¿Sabes qué significan estas siglas?

AVE	RENFE
UE	México DF
OTAN	ONU
OVNI	SIDA
EEUU	ONG

● ¿Todas estas siglas existen en tu lengua? ¿Cómo se dicen? Háblalo con tus compañeros.

Formas y funciones

PRETÉRITO INDEFINIDO

• **Regulares:**

-ar	-er	-ir
viaj-**é**	escrib-**í**	viv-**í**
viaj-**aste**	escrb-**iste**	viv-**iste**
viaj-**ó**	escrib-**ió**	viv-**ió**
viaj-**amos**	escrib-**imos**	viv-**imos**
viaj-**asteis**	escrb-**isteis**	viv-**isteis**
viaj-**aron**	escrb-**ieron**	viv-**ieron**

• **Irregulares:**

ESTAR	HACER	IR/SER
estuve	hice	fui
estuviste	hiciste	fuiste
estuvo	hizo	fue
estuvimos	hicimos	fuimos
estuvisteis	hicisteis	fuisteis
estuvieron	hicieron	fueron

HABLAR DE ACTIVIDADES REALIZADAS EN EL PASADO

• Utilizamos el **pretérito indefinido** para hablar del pasado con expresiones como:

  el año pasado
  el mes pasado
  la semana pasada
  hace dos años
  el último verano
  en 1999
  ayer
  anoche

  *El año pasado **fui** de vacaciones a Buenos Aires. Ayer **estuve** en casa todo el día.*

HABLAR DE PLANES Y DE PROYECTOS

• Para hablar de planes y de proyectos se utilizan:
  Ir + a + infinitivo: *Este verano voy a ir a Grecia.*
  Querer + infinitivo: *Quiero viajar por el país.*
  Pensar + infinitivo: *Pienso quedarme en Atenas tres o cuatro días.*

PREPOSICIONES

• Fíjate en el uso de algunas preposiciones:

  *Ella fue **a** Grecia **en** barco.*
  *Ella ha salido **de** Barcelona **a** las 10 h y va a llegar **a** Cádiz **a** las 12 h.*

• Observa:
  Ir a: indica lugar.
  Ir en: indica medio de transporte.
  Salir de: indica lugar de origen.
  Salir a: indica hora.
  Llegar a: indica lugar de destino y hora de llegada.
  Pasar por: indica lugar por el que se pasa para llegar a otro.

Apéndice
Apartados 24 y 25
(página 122)

Textos para...   ...escribir recomendaciones

12 Lee el siguiente texto y contesta a las preguntas.

¿Qué hay que tener en cuenta si se va de vacaciones a la playa?

El sol

El debilitamiento de la capa de ozono y el porcentaje cada vez mayor de cáncer de piel ponen en duda los beneficios de los baños de sol. Si ha elegido como destino de sus vacaciones la costa, recuerde evitar tomar el sol durante las horas del mediodía y recuerde que es necesario usar una crema protectora. Es conveniente empezar los primeros días con una crema de un alto nivel de protección y si viaja con niños es necesario tener en cuenta que la piel de los más pequeños es más sensible que la nuestra, por lo que con ellos tenemos que extremar las precauciones.

Los robos

La sensación de paz que se alcanza en el mar favorece descuidos impensables en la ciudad. Por ello, recuerde que no debe dejar objetos de valor a la vista en su coche.
Si decide ir a nadar o a pasear por la orilla de la playa, sea precavido. Intente no dejar a la vista su cartera u otros objetos de valor y si es posible, pida a alguien si puede vigilar sus objetos personales. De esta forma puede evitar sorpresas desagradables.

El mar

Hay que prestar atención a la señalización existente en las playas. Recuerde, la bandera roja indica peligro, la amarilla, precaución y la verde, baño libre. Si usted veranea en una playa no señalizada, báñese con precaución. Los días de mucho oleaje, nade en paralelo a la orilla y evite bañarse cerca de las rocas.
Si nota molestias mientras está nadando, como dolores de cabeza o musculares, intente regresar a la orilla lo antes posible.

● ¿Qué recomendaciones son importantes para unas vacaciones en la playa?
● ¿Qué recomendaciones das para unas vacaciones en la montaña o en la gran ciudad? Elige uno de estos dos destinos y escribe qué aspectos hay que tener en cuenta.
● Compara tu información con la de tu compañero.

• Hablar de viajes realizados y planear viajes futuros • Hablar de actividades realizadas en el pasado • Aconsejar

13 Lee el siguiente texto.

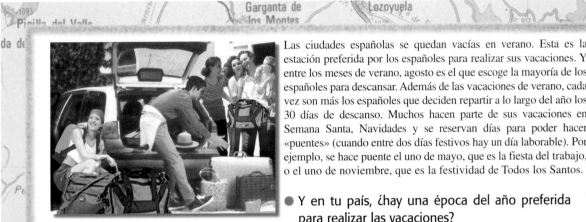

Las ciudades españolas se quedan vacías en verano. Esta es la estación preferida por los españoles para realizar sus vacaciones. Y entre los meses de verano, agosto es el que escoge la mayoría de los españoles para descansar. Además de las vacaciones de verano, cada vez son más los españoles que deciden repartir a lo largo del año los 30 días de descanso. Muchos hacen parte de sus vacaciones en Semana Santa, Navidades y se reservan días para poder hacer «puentes» (cuando entre dos días festivos hay un día laborable). Por ejemplo, se hace puente el uno de mayo, que es la fiesta del trabajo, o el uno de noviembre, que es la festividad de Todos los Santos.

● Y en tu país, ¿hay una época del año preferida para realizar las vacaciones?

14 Lee estas sugerencias para las vacaciones. ¿Cuáles te gustan más? ¿Cuáles se adaptan más para las siguientes situaciones?

- vacaciones de Semana Santa
- puente del uno de mayo

- vacaciones de verano
- puente de Todos los Santos

D escubra las maravillas del Mediterráneo. Le ofrecemos la posibilidad de disfrutar visitando las ciudades con más encanto del norte de África.

Contamos con un equipo de profesionales para organizarle el viaje con el que siempre ha soñado para usted solo o en compañía de sus amigos.

Y si lo desea, también podemos organizarle su luna de miel o su viaje de negocios.

Solicite más información a Cruceros@ com

N o todo es tumbarse al sol de una playa paradisiaca. El verano ofrece oportunidades para que las vacaciones resulten diferentes, atractivas e incluso solidarias. Y es que hay otro turismo al alcance de la mano, como el turismo verde, solidario y ecológico que ofrece desde casas rurales y balnearios hasta monasterios y deportes de aventura.

"Sin prisa pero sin pausa" permite combinar estancias en alojamientos alejados del ruido y la contaminación, con la práctica de deportes y la posibilidad de colaborar en algún proyecto solidario.

Si quieres más información, escríbenos a la siguiente dirección: Sin prisa@ com

Ven a conocer nuestras ofertas para estudiantes

Disponemos de más de 100 destinos diferentes a precios especiales para jóvenes menores de 25 años en viajes de estudio.

Salidas diarias a las principales capitales europeas.

Si quieres recibir nuestros folletos o cualquier otro tipo de información, solo tienes que escribirnos a Finde@com

El caribe te espera. Déjalo todo y ven a bañarte en nuestras playas.

Caribe@com

15 Observa las fotografías, lee el siguiente texto y luego contesta a las preguntas.

España tiene fama de ser un país turístico, ¿pero dónde van los españoles de viaje? Cada vez son más los españoles que viajan al extranjero y en los últimos 20 años esta costumbre se ha generalizado. El 80% de los españoles que viaja fuera del país elige Europa. Francia, Portugal, Andorra y el Reino Unido son los destinos preferidos. América recibe el 13% de los viajeros y África, el 6%. Este cambio de hábitos ha obligado a los españoles a tener que elegir su destino con muchos meses de antelación. Por ejemplo, ya no es posible ir a una agencia de viajes una semana antes de las vacaciones para reservar un viaje para el mes de agosto. Por otra parte, las salidas al extranjero han hecho aumentar la cantidad de dinero que los españoles gastan en sus vacaciones. La cantidad de dinero depende del tipo del viaje, no solo del destino elegido. Los más jóvenes no gastan mucho dinero. Muchos jóvenes que viajan al extranjero cogen su saco y su mochila, un billete de *Interrail* y así pueden conocer muchos países de forma barata. La gente de mayor edad prefiere otro tipo de viajes más cómodos: viajan en avión, seleccionan buenos hoteles y disfrutan de la gastronomía de los países visitados. También hay gente que prefiere los circuitos en autocar y los viajes totalmente organizados, en los que se pueden visitar varios países en muy poco tiempo. ¡En fin, hay gente para todo!

● ¿Qué objetos necesitas para realizar cada uno de los tipos de viajes mencionados en el texto? Compara después tu información con tu compañero.

Ejemplo: *Para viajar por Europa en Interrail necesito una mochila, un saco de dormir...*

● Escribe un texto similar para explicar dónde y cómo viaja la gente de tu país.

• Hablar de viajes realizados y planear viajes futuros • Hablar de actividades realizadas en el pasado • Aconsejar

Actividad final

Objetivo

Elaborar el calendario de la clase con las fechas más importantes del grupo.

Procedimiento

1 Recoged información sobre:

- Los días festivos (Pascua, año nuevo, carnaval, etc.) más importantes de las ciudades y países de los miembros del grupo.
- Las celebraciones culturales (festivales de música, cine, teatro, etc.).
- Los horarios y días festivos de museos, bancos, establecimientos comerciales, etc.
- Celebraciones particulares (cumpleaños, santos, etc.) de los miembros del grupo.

2 Señalad en un calendario las fiestas y los días más importantes para el grupo:

- Las celebraciones culturales de los lugares de origen del grupo.
- Los días festivos de bancos, museos, etc.
- Los cumpleaños y el día del inicio y del final del curso.

Reflexión y puesta en común

¿QUÉ TAL EL CALENDARIO?

- Seleccionar información sobre celebraciones y actividades culturales.
- Seleccionar información sobre los días festivos y los horarios de los lugares de interés.
- Poner la información en común.
- Elaborar el calendario común.

Hablar de viajes realizados y planear viajes futuros • Hablar de actividades realizadas en el pasado • Aconsejar

1 **¿Puedo comprender y utilizar el vocabulario necesario para organizar un viaje?**

Explica el significado de estas palabras:

alojamiento: _____

puerta de embarque: _____

hacer una reserva: _____

pensión completa: _____

Sí   **No** (página 93)

2 **¿Conozco las formas del pretérito indefinido?**

Yo (cenar) _____   Ella (viajar) _____   Vosotros (ver) _____

Tú (estar) _____   Nosotros (ir) _____   Ellos (comprar) _____

Sí   **No** (página 95)

3 **¿Conozco la diferencia entre el pretérito perfecto y el pretérito indefinido?**

Con *la semana pasada, el año pasado, hace dos años*, utilizo el _____

Con *esta mañana, alguna vez, este mes*, utilizo el _____

Sí   **No** (página 95)

4 **¿Puedo explicar los hechos más importantes de la historia de mi país?**

El año pasado... _____

_____

_____

Sí   **No** (páginas 92 y 95)

5 **¿Puedo hablar de planes y de proyectos futuros?** Explica tus planes para la semana que viene.

La semana que viene... _____

_____

Sí   **No** (páginas 94 y 95)

6 **¿Puedo leer siglas en español?** ¿Cómo se leen estas siglas?

RENFE: _____

ONU: _____

UE: _____

Sí   **No** (página 94)

7 **¿Puedo aconsejar a alguien que quiere visitar mi país?** ¿Qué le digo?

_____

_____

_____

Sí   **No** (página 96)

Haz memoria

1 Observa las imágenes y completa las descripciones.

a Todas las tardes escuchaba la radio con su familia.

b _____

c Llegaba a casa antes de las 9 h de la noche.

d Miraba muchos libros y quería viajar.

e Todas las tardes veía dibujos animados en la televisión.

f Muchas tardes jugaba con la Playstation.

g _____

h _____

● Y de pequeño, ¿tú qué hacías?

· Hablar de la habitualidad en el pasado · Describir personas y objetos en el pasado · Contrastar presente y pasado

Comprensión y expresión oral

2 Escucha la entrevista y señala qué dicen estas personas sobre algunas celebraciones.

Doña Carmen   Carmen   Mamen

a) Antes no celebrábamos el día de la madre.
b) Algunas fiestas son propias de la sociedad de consumo. Antes la gente no se preocupaba por estas tonterías.
c) Regalábamos flores o bombones.
d) El día del cumpleaños de un familiar, íbamos a su casa.

● Habla con tu compañero. ¿Cómo celebras ahora tu cumpleaños? ¿Cómo lo celebrabas cuando eras niño?

3 Escucha y anota qué hacían estas personas cuando eran adolescentes.

	¿Qué podían hacer?	Sus padres, no les dejaban hacer...
Chica 1		
Chico		
Chica 2		

4 ¿Y tú? ¿Qué podías hacer y qué no te dejaban hacer tus padres cuando eras adolescente? Háblalo con tus compañeros.

5 ¿Dónde estabas, con quién y qué hacías...?

- Cuando murió Lady Di.
- La última noche del siglo XX.
- Los primeros días del cambio de moneda en Europa.
- Durante las Olimpiadas de Sydney de 2000.
- El 11 de septiembre de 2001.

● Y tus compañeros de clase, ¿dónde estaban, con quién y qué hacían?

6 Piensa en un hecho importante de tu país y cuenta a tus compañeros qué hacías en ese momento.

parte del día
tiempo
lugar
quién

Era por la tarde.
Hacía frío.

Llovía un poco y había mucha gente.

Salía del colegio y allí estaba mi madre.

Gramática
Formas y funciones

• Hablar de la habitualidad en el pasado • Describir personas y objetos en el pasado • Contrastar presente y pasado

parte del día
tiempo
lugar
qué llevaba

qué hace
quién estaba
sensaciones

a

Yo recuerdo _____

y hacía mucho calor.

b

Pero yo _____
_____
_____
_____

c

Iba siempre con mi madre
a visitar a la tía Mercedes.
Y a mí_____
_____

d

Pero _____
porque en casa de mi tía
Mercedes _____
_____
_____

7 Observa los fotogramas *a-d* y completa el guión de la película.

● Escucha después y comprueba.

8 Recuerda un momento especial de tu infancia y cuéntaselo a tus compañeros. Sigue el modelo de la imagen central y fíjate en la información que tienes que preparar.

- Parte del día
- Tiempo
- Lugar
- Ropa que llevabas
- Actividad
- Personas que había
- Sensaciones

Gramática
Formas y funciones

9 El primer día de clase de español. ¿Recuerdas tus sensaciones? Háblalo con el grupo y toma nota de todos los detalles que recordáis.

- ¿Cuántos estabais en clase?
- ¿Qué tiempo hacía? ¿Qué día de la semana era?
- ¿Qué llevabais?
- ¿De qué hablabais?
- ¿Qué pensabais de los otros compañeros?
- ¿Estabais nerviosos?
- ¿Pasó algo especial?

● Hablar de la habitualidad en el pasado ● Describir personas y objetos en el pasado ● Contrastar presente y pasado

Gramática en contexto

 Observa la gramática de los textos.

Marta: *Cuando tenía* dieciséis años *no podía* hacer nada. Mi padre era muy estricto.
Carlos: *Pues yo podía volver* a casa los sábados a las 11 h de la noche.
Esther: Pues yo *cuando tenía* dieciséis años *ya tenía* novio.

Así hablamos

Solicitar un servicio:

–Información, dígame.
–Quería el número del Hospital Central de Sevilla.

–Quería reservar una mesa para esta noche.

–¿Qué desea?
–Quería probarme este vestido.

–Quería hablar con el director.
–Un momento, por favor.

Observa: El pretérito imperfecto no siempre se utiliza para referirse al pasado. También sirve para solicitar un servicio o mostrar agradecimiento de forma amable.

ANTES LA GENTE SE COMUNICABA MÁS.

Mostrar agradecimiento de forma amable:

–¿Te gusta?
–Sí, pero no era necesario comprar nada.

 ¿Qué dices cuando...

- ...quieres reservar una habitación?
- ...quieres alquilar un coche?
- ...te regalan flores?
- ...quieres hablar con un profesor?

● Compara tus respuestas con las de un compañero.

Formas y funciones

PRETÉRITO IMPERFECTO

- **Regulares:**

-ar	-er	-ir
habl-**aba**	com-**ía**	viv-**ía**
habl-**abas**	com-**ías**	viv-**ías**
habl-**aba**	com-**ía**	viv-**ía**
habl-**ábamos**	com-**íamos**	viv-**íamos**
habl-**abais**	com-**íais**	viv-**íais**
habl-**aban**	com-**ían**	viv-**ían**

- **Irregulares:**
  Solo hay tres verbos irregulares:
  - **ser:** era, eras, era, éramos, erais, eran
  - **ir:** iba, ibas, iba, íbamos, ibais, iban
  - **ver:** veía, veías, veía, veíamos, veíais, veían

- **Usos:**
  - **Descripción en el pasado:** *De niña era muy delgada y llevaba el pelo muy largo.*
  - **Habitualidad en el pasado:** *Todos los veranos íbamos a la playa.*
  - **Contraste antes y ahora:** *Antes vivía en el campo y ahora vivo en la ciudad.*
  - **Contextualización de un suceso:** *Eran las 12 h de la noche, yo estaba sola en la parada del autobús, hacía mucho frío, cuando llegó aquel hombre tan extraño.*
  - **Solicitar una acción, un objeto, una información de forma amable:** *Quería saber cuándo empiezan las clases.*
  - **Evocar recuerdos:** *Pues yo recuerdo que ese día iba en autobús, llevaba un jersey amarillo...*

PALABRAS Y EXPRESIONES PARA HABLAR DEL PASADO

- **Para hablar de una década:** *En los años ochenta* no existía el correo electrónico.
- **Para hablar de una época de la vida:** *De niño* jugaba en la calle al fútbol con mis amigos.
- **Para hablar de una edad:** *A los quince años* todavía no me dejaban salir de noche.
- **Para relacionar diferentes informaciones:** *Cuando era niño iba todos los domingos por la tarde a casa de mi abuela.*
- **Para evocar un tiempo en el pasado:** *Ese día, ese año...* estaba con mi familia.

DEJAR, PODER, QUERER + infinitivo
–A los dieciocho años mis padres no me dejaban salir de noche.
–¡Qué suerte! Yo no podía salir de noche.
–Pues yo si quería salir, no tenía problemas.

Apéndice
Apartado 26
(página 123)

Textos para... ...escribir titulares de periódicos

10 Los españoles del siglo XXI. Lee los titulares de estos periódicos con información sobre España.

> Se llama titular y es la información más importante de una noticia. Su letra es diferente y más grande.

La mayoría de los niños españoles practica el fútbol

De mayores, muchos niños quieren ser futbolistas profesionales

Pocos niños en España

Solo 1,07% niños por mujer, el número más bajo del mundo

> El titular no siempre tiene verbo. Aquí entendemos:
> *(Hay/nacen) Pocos niños en España.*

11 ¿Cuáles de estos titulares se refieren a la España actual y cuáles a la España de los años sesenta?

a LOS JÓVENES ESPAÑOLES EMPIEZAN A TENER RELACIONES SEXUALES MUY TARDE, A LOS 17 AÑOS
En los otros países europeos empiezan antes.

b LOS ESPAÑOLES PREFIEREN PASAR SUS VACACIONES EN LOS PUEBLOS DE ESPAÑA
La mayoría pasa sus vacaciones en el campo y no en la playa.

c LOS ESPAÑOLES VEN MUCHA TELEVISIÓN EN SU TIEMPO LIBRE
El 87% de los españoles ve televisión cada día, el 49% escucha la radio, el 42% escucha música y el 32% lee el periódico.

d MUCHAS PAREJAS ESPAÑOLAS SE CASAN, PERO CASI LA MITAD SE DIVORCIAN
También muchas parejas viven juntas sin estar casadas.

g LOS JÓVENES COMEN MUCHA COMIDA «RÁPIDA»
Los jóvenes españoles tienen problemas de peso.

h SOLO UN 2% DE EXTRANJEROS EN ESPAÑA
La mayoría son trabajadores de países desfavorecidos que buscan una vida mejor.

e LA RELIGIÓN ES LO MÁS IMPORTANTE PARA LA FAMILIA
Todas las familias españolas educan a sus hijos según la religión católica.

f LAS GRANDES CIUDADES EMPIEZAN A LLENARSE DE TRÁFICO
Las ciudades españoles se llenan de coches, los SEAT 600.

i LAS MUJERES EN TODOS LOS SECTORES DE LA SOCIEDAD
En el Parlamento español el 21,6% de los diputados son mujeres.

j LOS JUBILADOS, UN GRUPO SOCIAL MUY IMPORTANTE
En España viven más de 6,5 millones de personas mayores.

12 ¿Estos titulares pueden aparecer en un periódico de tu país? ¿Por qué?

13 Fíjate en los titulares *h-j*. Descubre el verbo que falta.

14 Solo o con un compañero. Escribe dos titulares con información sobre tu país: uno para la actualidad y otro referido a los años ochenta.

● Adivina cuáles son los titulares referidos a los años ochenta que han escrito tus compañeros y explica por qué.

Ejemplo: *Yo creo que... porque en los años ochenta la gente (no) era/tenía/estaba/pensaba...*

• Hablar de la habitualidad en el pasado • Describir personas y objetos en el pasado • Contrastar presente y pasado

15 Piensa en alguna persona de tu país famosa en el extranjero y preséntala a tus compañeros. Toma como modelo alguno de estos textos.

Luis Rojas Marcos nació en Sevilla y vive en Nueva York desde el año 1968. Se licenció en Medicina por la Universidad de Sevilla y es Doctor por la Universidad de Bilbao y la del Estado de Nueva York. Se especializó en Psiquiatría en esta última ciudad.

Desde septiembre de 1995, Rojas Marcos es Presidente de la Corporación de Salud y de los Hospitales de Nueva York. Su área de competencia incluye los 16 hospitales generales públicos y la red de centros ambulatorios de la ciudad neoyorquina. También es Profesor de Psiquiatría de la Universidad de Nueva York. Además ha sido el máximo responsable de los servicios de salud mental de Nueva York de 1992 a 1995 y Director del Sistema Hospitalario psiquiátrico Municipal de 1981 a 1992.

Pedro Duque nació el 14 de marzo de 1963 en Madrid. Era un chico como otros de su edad: le gustaba bucear, nadar y montar en bicicleta. A los veinticinco años se licenció en Ingeniería Aeronáutica y en la actualidad es el «astronauta español».

Su vida cambió en el año 1992 cuando lo seleccionaron para unirse al Cuerpo de Astronautas de la Agencia Espacial Europea (ESA). En mayo de 1994 fue miembro de la Tripulación II en la misión EUROMIR. Un año después participó en la misión del laboratorio Microgravedad Spacelab y voló en «El Colombia» en 1996 durante 17 días por el espacio.

16 Observa las fotografías. En ellas aparecen objetos que marcaron una época y que ya no se usan o que han cambiado. ¿Cuáles te gustaban especialmente? ¿Qué no podías hacer antes y qué puedes hacer ahora?

antes

ahora

Punto de vista

17 Observa las siguientes imágenes. ¿Cuántos años crees que tienen estas personas? Imagina cómo era su vida cuando eran jóvenes.

18 «Cualquier tiempo pasado fue mejor». ¿Conoces esta expresión? ¿Qué significa? ¿Existe alguna similar en tu cultura? Háblalo con tus compañeros.

19 Imagínate que tienes setenta años y que quedas con tus compañeros de clase. ¿Qué recuerdos compartís de cuando erais jóvenes?

● Discute con tus compañeros si crees que dentro de unos años vais a recordar con nostalgia esta etapa actual de vuestra vida.

Pausa

¿Puedes preparar una lista de temas de los que ahora puedes hablar en español?

Ejemplo: Antes no podía... Ahora puedo...

> Antes solo podía dar información, pero ahora puedo dar también mi opinión.

> Antes tenía problemas para expresarme, pero ahora puedo hablar de muchas cuestiones que me interesan, como por ejemplo...

> Antes no hablaba en español porque tenía miedo, pero ahora puedo comunicarme mucho mejor.

● Comparte tus ideas con tus compañeros.

recuerda ¡Ahora puedes hacer muchas cosas con tu español! ¡Muy bien!

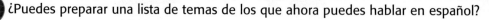

• Hablar de la habitualidad en el pasado • Describir personas y objetos en el pasado • Contrastar presente y pasado

Actividad final

Mis abuelos eran de diferentes países. Los padres de mi madre eran de Sicilia y llegaron a Londres en los años sesenta. Los padres de mi padre eran del norte de Inglaterra. Las costumbres de mi familia eran muy diferentes. Cuando nos reuníamos todos era muy divertido porque la familia de mi padre no hablaba durante la comida; pero, la de mi madre hablaba mucho...

Objetivo

Presentar los orígenes de los alumnos de la clase a partir de la historia de sus familias.

Procedimiento

1 Formad grupos en la clase por nacionalidades, culturas similares o zonas geográficas cercanas.

2 Cada miembro del grupo completa una ficha de su familia con esta información.

Raíces de mi familia:
- ¿De dónde proviene?
- ¿Qué costumbres conserva?
- ¿Cuándo llegó a la ciudad donde ahora vive?
- ¿Cómo llegó?
- ¿Qué lenguas hablaba mi familia?
- ¿Era una familia grande o pequeña?
- ¿A qué se dedicaba?

3 Poned en común toda la información y elaborad un texto con la información que mejor describe los orígenes de cada grupo para presentarlo después a la clase.

4 Al final colocad en un álbum toda esa información en un mapa junto con las fotos de todos vosotros.

Reflexión y puesta en común

¿QUÉ TAL INVESTIGAR SOBRE VUESTROS ORÍGENES?

- Completar la ficha de tu familia.
- Elaborar el texto.
- Presentar el texto en clase.
- Comprender la información de los compañeros.

• Hablar de la habitualidad en el pasado • Describir personas y objetos en el pasado • Contrastar presente y pasado

Autoevaluación

1 ¿Puedo hablar de costumbres y hábitos del pasado?

Cuando era pequeño _____

_____

_____

_____

_____

Sí   **No** *(páginas 101 y 102)*

2 ¿Puedo hablar de qué podía hacer cuando era adolescente?

Mis padres _____

_____

_____

A mí no _____

_____

_____

Sí   **No** *(página 102)*

5 ¿Conozco expresiones para hablar del pasado?

A los quince años _____

_____

Sí   **No** *(páginas 102, 103 y 105)*

6 ¿Sé que el pretérito imperfecto además de utilizarse para el pasado sirve para otros usos? *¿Para cuáles?:*

a) _____

b) _____

c) _____

Sí   **No** *(páginas 104 y 105)*

3 ¿Puedo describir mi estado de ánimo en un momento del pasado?

Mi primer día de colegio _____

_____

_____

_____

_____

Sí   **No** *(página 103)*

4 ¿Puedo explicar un recuerdo?

Ese día _____

_____

_____

_____

_____

Sí   **No** *(páginas 103 y 105)*

7 ¿Puedo comprender la información general de un titular de periódico? *Compruébalo.*

PRIMERA PIEDRA PARA UN TEATRO DEL SIGLO XXI
Se inaugura un nuevo teatro en Madrid

Sí   **No** *(página 106)*

8 ¿Puedo hablar de algún personaje famoso de mi país o de otros países?

Preséntalo. ¿Cómo se llama? Es _____

_____

_____

Sí   **No** *(página 107)*

Apéndice

- Formas y Funciones
- Tabla de verbos

Formas y funciones

1 El abecedario

Letra	Nombre de la letra	Ejemplo
A, a	a	adiós
B, b	be	barco
C, c	ce	Caracas, cine
Ch, ch	che	coche
D, d	de	dedo
E, e	e	escribe
F, f	efe	profesor/a
G, g	ge	gracias, gente
H, h	hache	Honduras
I, i	i	médico
J, j	jota	Juan
K, k	ka	kilo
L, l	ele	Lima
Ll, ll	elle	calle
M, m	eme	Madrid
N, n	ene	mano
Ñ, ñ	eñe	año
O, o	o	hola
P, p	pe	pregunta
Q, q	cu	Quito
R, r	erre	ruso, Lanzarote
S, s	ese	Sevilla
T, t	te	respuesta
U, u	u	Perú
V, v	uve	Valencia
W, w	uve doble	wagneriano
X, x	equis	taxista
Y, y	i griega	yo
Z, z	zeta	Venezuela

2 Números

0	cero	31	treinta y uno
1	uno	40	cuarenta
2	dos	41	cuarenta y uno
3	tres	50	cincuenta
4	cuatro	60	sesenta
5	cinco	70	setenta
6	seis	80	ochenta
7	siete	90	noventa
8	ocho	100	cien
9	nueve	101	ciento uno
10	diez	200	doscientos
11	once	300	trescientos
12	doce	400	cuatrocientos
13	trece	500	quinientos
14	catorce	600	seiscientos
15	quince	700	setecientos
16	dieciséis	800	ochocientos
17	diecisiete	900	novecientos
18	dieciocho	1.000	mil
19	diecinueve	1.100	mil cien
20	veinte	2.000	dos mil
21	veintiuno	1.000.000	un millón
30	treinta	2.000.000	dos millones

③ los pronombres personales (de sujeto)

	1ª persona	2ª persona	3ª persona
singular	yo	tú usted	él ella
plural	nosotros nosotras	vosotros vosotras ustedes	ellos ellas

→ Normalmente en español no utilizamos el pronombre sujeto porque la terminación del verbo permite distinguir las diferentes personas gramaticales. **Ejemplo:** ¿Cómo te llamas (tú)?

→ Solo utilizamos los pronombres cuando queremos dar énfasis al sujeto o queremos indicar una oposición. **Ejemplos:** Yo me llamo Esther. Tengo veintidós años y él treinta y tres.

→ Usted/ustedes se utiliza para indicar una relación formal con otras personas. Estos pronombres pueden abreviarse: usted = Vd / ustedes = Vds.

→ Las formas usted y ustedes se refieren a la segunda persona (tú y vosotros), pero se utilizan con la tercera persona del verbo. **Ejemplo:** ¿Tiene (usted) su pasaporte?

Más información

→ En español peninsular se usa, en general, tú/vosotros en las relaciones informales o de confianza y usted/ustedes en las relaciones más formales. **Ejemplo:** Carlos, ¿me das tu teléfono? (a un amigo) / ¿Me da su teléfono, por favor? (a una persona con la que no se tiene confianza)

→ En el español hablado de ciertas zonas de Iberoamérica se utiliza vos para el tratamiento de confianza para la segunda persona del singular. **Ejemplo:** ¿Vos, qué querés? (en lugar de Tú, ¿qué quieres?)

→ En algunos lugares de Iberoamérica usted/ustedes se emplea tanto para el tratamiento formal como informal. En la mayoría de los países de Iberoamérica la forma vosotros se ha sustituido por ustedes. **Ejemplo:** Ustedes están **contentos** (en lugar de Vosotros estáis contentos).

④ El artículo

4.1. Artículo definido

→ El artículo definido hace referencia a una información conocida o de la que se ha hablado antes. **Ejemplo:** El libro (que necesitas) está agotado.

→ Formas del artículo definido:

	masculino	femenino
singular	el	la
plural	los	las

→ Delante de sustantivos femeninos que empiezan por la vocal a o por ha con acento se utiliza el artículo masculino. **Ejemplo:** el agua. Esto ocurre solo en singular, ya que en plural se utiliza el artículo femenino plural. **Ejemplo:** las aguas.

→ Observa cómo se combinan las preposiciones a y de con el artículo el: a + el = al; de + el = del. **Ejemplos:** Esta tarde voy al cine. / El artista es el del jersey azul.

Más información

→ Usos del artículo definido:

1) Cuando nos referimos a algo o alguien que ha sido nombrado antes o del que el hablante conoce su existencia. **Ejemplo:** El jersey negro (no otro) está en el armario.

2) Con los días de la semana cuando se habla de un día específico. **Ejemplo:** El martes es el día de la exposición.

→ Si el artículo está en plural (los lunes, los martes, etc.), indica que algo tiene lugar todos los lunes/los martes... **Ejemplo:** Los lunes voy al gimnasio (todos los lunes).

3) Aparece con los nombres de ríos. **Ejemplo:** El Amazonas es un río impresionante.

4) Para identificar a la persona a la que nos dirigimos. **Ejemplo:** ¿Es usted el fotógrafo?

5) Para identificar a alguien. **Ejemplo:** ¿Quién es ese señor tan alto? El director de la escuela.

6) Para hablar de actividades de ocio o de deporte. **Ejemplo:** Los sábados por la mañana jugamos al tenis.

7) Con las horas. **Ejemplo:** La clase empieza a las 9.30 h.

8) Para referirse a las partes del cuerpo. **Ejemplo:** Tiene los ojos azules.

➡ Fíjate que para hablar de las partes del cuerpo, en español, no se usa el pronombre posesivo. **Ejemplo:** Tiene los (sus) ojos azules.

4.2. Artículo indefinido

→ El artículo indefinido se utiliza cuando se habla de algo o de alguien que no conoce uno de los hablantes. **Ejemplo:** –¿Quién es Antonio?/–Un amigo de Amparo.

→ Formas del artículo indefinido:

	masculino	femenino
	un	una
	unos	unas

Más información

→ Usos del artículo indefinido:

1) Para preguntar por lugares de los que no se conoce su existencia. **Ejemplo:** ¿Hay un banco por aquí?

2) Para identificar a alguien que pertenece a un grupo. **Ejemplo:** Ana es una amiga de la escuela.

3) Para referirse a personas en concreto sin especificar su identidad. **Ejemplo:** Tengo una amiga que es economista.

4) Para hablar de una cantidad aproximada. **Ejemplo:** En la clase hay unos veinte alumnos.

➡ En español, no se utiliza el artículo indefinido delante de otro. **Ejemplo:** He comprado (un) otro cuento para Samuel.

→ No se utiliza artículo (ni definido, ni indefinido):

1) Con nombres de persona. **Ejemplo:** María tiene el pelo largo.

2) Con profesiones. **Ejemplo:** –¿A qué te dedicas? –Soy cocinero.

➡ Si aparece el artículo + una profesión, se debe a que se utiliza el artículo para identificar o referirse a alguien (ver usos del artículo definido e indefinido). **Ejemplo:** Es el fotógrafo del periódico El Día. (se ha hablado antes de él). Es un fotógrafo muy conocido. (es la primera vez que se habla de él)

3) Para referirnos a uno o varios elementos de una categoría. **Ejemplo:** ¿Tienes coche?/¿Tienes niños?

4) Si junto al nombre ya aparece otro adjetivo (demostrativo o posesivo). **Ejemplo:** Mi hermano tiene bigote. (no... el mi hermano...)

5) Para identificar el día de la semana que es. **Ejemplo:** Hoy es domingo.

6) Con los nombres de países o ciudades, excepto cuando llevan artículo en el nombre. **Ejemplo:** Todos los veranos voy a Italia./Me encanta La India.

7) Con los tratamientos de señor y señora para dirigirse directamente a la persona. **Ejemplo:** Bienvenido, señor Martínez.

5 Nombre

5.1. Género

→ Los nombres pueden ser femeninos o masculinos:

masculino acabado en –o	femenino acabado en –a
informático arquitecto	informática arquitecta
maculino acabado en consonante	**femenino acabado en -a**
concejal león	concejala leona

→ Otras terminaciones para el femenino son: príncipe
→ princesa, actor → actriz.

→ Son siempre nombres masculinos:
- Los colores: el azul.
- Las obras de arte en general: el (cuadro de) Goya.
- Los días, meses, años, siglos: el siglo XX.
- Los idiomas: el francés.
- Los lagos, mares, ríos y océanos: el Mediterráneo.
- Los aviones: el Boeing 437.
- Los barcos: el Titanic.

→ Son siempre femeninos:
- Los nombres de empresas: la (empresa) Seat.
- Las horas: las 2 h de la tarde.

- Los nombres de islas: *Las Canarias.*
- Las letras del alfabeto: *la b.*

→ Son nombres invariables en femenino y en masculino y se distinguen por el artículo que les acompaña:

- Sustantivos acabados en *–ista: el/la artista.*
- Sustantivos acabados en *–e: el/la estudiante.*

→ Son nombres creados recientemente y antes solo existían en masculino o femenino: *jefe–jefa, viuda–viudo, ministro–ministra, modista–modisto, enfermera–enfermero.*

5.2. Número

→ Los nombres pueden ser:

contables	no contables
Se refieren a objetos que existen aislados y que se pueden contar y enumerar: *árbol, vaso,* etc.	Se refieren a cosas que no se pueden contar ni separar: *agua, arena.* En general se emplean en singular.

→ Plural de los nombres acabados en vocal:

singular	plural
Terminados en vocal sin acento: *casa*	Añaden *–s: casas*
Terminados en *-á, -é, -ó* (con acento): *sofá, café, buró*	Añaden *–s: sofás, cafés, burós*
Terminados en *í: esquí*	Añaden *–s: esquís* (más común que *esquíes*)
Terminados en *ú: iglú**	Añaden *–s: iglúes*

* Cuando el singular acaba en vocal *ú* con acento, la forma plural puede ser doble: *-s* o *-es.* **Ejemplo:** *hindús* o *hindúes.* Pero en otros casos solo se permite la forma terminada en *–s: menú* → *menús; champú* → *champús.*

6 Adjetivo

→ El adjetivo expresa:
- Nacionalidad: *Soy japonés.*
- Estado: *José Luis está aburrido.*
- Cualidad: *Carolina es muy simpática.*

→ El adjetivo tiene el mismo género y número del nombre al que acompaña:

La camisa es blanca. *Las botas son blancas.*
El jersey es blanco. *Los pantalones son blancos.*

6.1. Género del adjetivo

→ Los adjetivos pueden tener:

formas en masculino	formas en femenino
bonito	*bonita*
danés	*danesa*

→ Plural de los nombres acabados en consonante:

singular	plural
Palabras agudas acabadas en *–s: autobús*	Añaden *–es: autobuses*
Palabras llanas o esdrújulas acabadas en *–s: tesis*	No varían: *las tesis*
Palabras acabadas en *–y: rey*	Añaden *–es: reyes*

⊃ Para referirse a un grupo de hombres y de mujeres siempre se emplea la forma masculina en plural. **Ejemplo:** *A mis hijos les gusta mucho ir a la piscina,* (puede referirse a hijos y a hijas).

→ Nombres que aparecen normalmente en singular: *la salud, la gente, la sed, la información.*

→ Nombres que aparecen normalmente en plural: *las afueras, los víveres.*

→ En general, se utiliza la forma del plural para los objetos compuestos de dos partes, aunque también podemos encontrarlos en singular. **Ejemplo:** *las gafas, las tijeras, los pantalones.*

→ Los adjetivos de nacionalidad terminados en consonante forman el femenino añadiendo una *–a.* **Ejemplo:** *alemán* → *alemana.*

→ En español, algunos adjetivos tienen una única forma para los dos géneros. **Ejemplo:** *la chaqueta azul/el jersey azul, la chica alegre/el chico alegre, el hombre feliz/la mujer feliz.*

⊃ La mayoría de los adjetivos que tienen una única forma para los dos géneros son adjetivos terminados en *-l, -e* y *-z.* **Ejemplo:** *azul, breve, locuaz.*

6.2. Número del adjetivo

→ El plural de los adjetivos se forma igual que el de los nombres.

singular	plural
Adjetivos terminados en vocal: *tranquilo*	Añaden –s: *tranquilos*
Adjetivos terminados en consonante o vocal con acento: *azul, marroquí*	Añaden –es: *azules, marroquíes*

→ Cuando el adjetivo acaba en –s y no es palabra aguda no cambia. **Ejemplo:** *una entrada gratis/dos entradas gratis.*

6.3. Posición del adjetivo

→ Los adjetivos suelen aparecer al lado del nombre al que acompañan o introducidos por un verbo. **Ejemplo:** *Tengo un vestido rojo. El coche es azul.*

→ Normalmente el adjetivo va detrás del nombre y aporta información nueva del nombre. **Ejemplo:** *Hoy llevo la chaqueta blanca.* (El adjetivo sirve para identificar la chaqueta: es la blanca y no la roja).

→ Cuando el adjetivo aparece delante del nombre no aporta información nueva, sino que sirve para marcar énfasis o se utiliza con intención poética. **Ejemplo:** *Escribe un nuevo libro.* (si se escribe un libro, siempre es nuevo). *Tiene una preciosa mirada.*

➡ Algunos adjetivos como *bueno* y *malo* pierden la última sílaba cuando van delante de un nombre masculino. **Ejemplo:** *Es un buen chico. / Es un mal futbolista.*

➡ El adjetivo *grande* pierde la vocal *e* cuando va delante de un nombre femenino o masculino. **Ejemplo:** *Es un gran hombre./La habitación tiene una gran biblioteca.*

⑦ Los demostrativos

7.1. Adjetivos, pronombres y adverbios demostrativos

→ Las formas para los adjetivos y pronombres demostrativos son las siguientes:

masculino		femenino	
singular	plural	singular	plural
este	*estos*	*esta*	*estas*
ese	*esos*	*esa*	*esas*
aquel	*aquellos*	*aquella*	*aquellas*

→ Los adverbios demostrativos son: *aquí, ahí* y *allí.*

→ Los adjetivos demostrativos siempre acompañan a un nombre y concuerdan en género y número. Normalmente, aparecen delante del nombre. **Ejemplo:** *¿De quién es este diccionario?*

→ Los pronombres demostrativos sustituyen al nombre y tienen el género y el número del nombre al que se refieren. **Ejemplo:** *Esta es Carmen, tu profesora de español.*

7.2. Uso de los demostrativos en relación con el espacio y el tiempo

→ *Este/esta* se utilizan para referirse a cosas que el hablante considera próximas tanto en el espacio como en el tiempo. **Ejemplo:** *Este libro es muy interesante.*

→ *Ese/esa* se utilizan para referirse a cosas que el hablante considera próximas a la persona con la que habla. **Ejemplo:** *¿Qué es ese ruido?*

→ *Aquel/aquella* se utiliza para referirse a cosas que el hablante considera alejadas tanto de él como de su interlocutor. **Ejemplo:** *¿Ves aquella luz de allí?*

⑧ Verbos *llevar* y *tener* para la identificación de personas

→ Los verbos *llevar* y *tener* se utilizan para describir a una persona y poder identificarla:

Ejemplos:
Juan es el chico que lleva unas gafas muy bonitas y tiene el pelo largo. Ana es la que lleva la camisa blanca.

llevar	*tener*	
llevar + una camisa *llevar + un pantalón* *llevar + unas gafas*	*tener + ojos azules/negros/verdes…* *tener + orejas grandes/pequeñas…*	*tener + boca grande/pequeña…* *tener + nariz grande/pequeña…*

9 Verbos *gustar* y *encantar*

me te le nos os les	+ *gusta/n* *encanta/n*	+ nombres o infinitivo

→ Estos verbos siempre van acompañados de los pronombres personales: *me, te, le, nos, os* y *les*.
Ejemplos: Nos gusta jugar con el gato. Me encanta su casa. / Le gustan los animales.

➡ El verbo siempre concuerda con lo que nos gusta o encanta. **Ejemplo:** Me encanta el chocolate.

10 Gradativos

+++++	Me gusta	**muchísimo**	esta película.
++++	Me gusta	**mucho**	esta canción.
+++	Me gusta	**bastante**	tu coche.
++	Me gusta		tu amigo.
+	Me gusta		este restaurante.
∅	No me gusta	**nada**	el café.

➡ Observa que es necesario hacer la doble negación con *nada*. **Ejemplo:** No me gusta nada la música rock.

11 Presente de indicativo

11.1. Verbos regulares

trabajar	*beber*	*escribir*
trabaj**o**	beb**o**	escrib**o**
trabaj**as**	beb**es**	escrib**es**
trabaj**a**	beb**e**	escrib**e**
trabaj**amos**	beb**emos**	escrib**imos**
trabaj**áis**	beb**éis**	escrib**ís**
trabaj**an**	beb**en**	escrib**en**

11.2. Verbos irregulares

Para revisar las formas regulares del presente, consulta la tabla de verbos irregulares (páginas. 124-127).

11.3. Usos del presente de indicativo

Se utiliza para:

→ Referirse al momento o a una situación actual en el que se encuentra el hablante. **Ejemplo:** Ahora trabajo muchas horas.

→ Para hablar de acciones habituales. **Ejemplo:** Todos los días salgo de casa a las 8 h.

→ Para ofrecer, invitar, pedir algo o hacer propuestas. **Ejemplos:** ¿Te apetece tomar algo? / ¿Me dejas un bolígrafo?

12 Pronombres reflexivos

→ Forman parte de los verbos reflexivos (como *acostarse*, *ducharse*) e indican que la persona que realiza la acción y la que la recibe es la misma.

Ejemplos:
Me acuesto muy tarde sobre las 12 h o la 1 h. todas las noches.
Pedro se afeita solo una vez a la semana.
Usted se levanta muy temprano y se acuesta muy tarde y eso es malo para la salud.

	1ª persona	2ª persona	3ª persona
singular	me	te/ le (usted)	se
plural	nos	os/ se (ustedes)	se

13 Posesivos

13.1. Adjetivos posesivos

singular	plural
mi	mis
tu	tus
su	sus
nuestro/a	nuestros/as
vuestro/a	vuestros/as
su	sus

Ejemplos:

Mis amigos vienen mañana a cenar.
Nuestra casa está muy cerca.

13.2. Pronombres posesivos

singular	plural
el mío/la mía	los míos/las mías
el tuyo/la tuya	los tuyos/las tuyas
el suyo/la suya	los suyos/las suyas
el nuestro/la nuestra	los nuestros/las nuestras
el vuestro/la vuestra	los vuestros/las vuestras
el suyo/la suya	los suyos/las suyas

Ejemplo: —¿Es esta tu casa?/—Sí, es la mía.

➡ En español, el pronombre posesivo concuerda en género y en número con el objeto poseído, nunca con la persona. **Ejemplos:** Este bolígrafo es suyo (de él o de ella, depende del contexto). / Esta casa es suya (de él o de ella, depende del contexto).

14 Organizar la información

→ Para organizar la información se utiliza: *Primero…, luego…* y *después…*

Ejemplo: Primero limpiamos la casa, luego vamos a comprar y después preparamos la cena, ¿vale?

15 Hay/está

→ Para preguntar por la existencia de algo o de alguien utilizamos la forma *hay*.
Ejemplos: ¿Hay un banco por aquí?
¿Hay alguien en clase?

→ Para preguntar por el lugar en el que se encuentra algo o alguien en concreto utilizamos el verbo *estar*. **Ejemplo:** ¿Sabes dónde está el Banco Central?

16 Verbos de movimiento

Verbo *ir*

→ *ir + a +* lugar: Voy a la escuela por las mañanas.
→ *ir + en +* medio de transporte: Voy a trabajar en bicicleta.
→ *ir + a + pie:* Voy a pie hasta la oficina.

Verbo *venir*

→ *venir + de +* lugar:
—¿De dónde vienes tan tarde?
—(Vengo) De la oficina.

17 Pronombres interrogativos

→ Se usa el pronombre *qué* para preguntar por información nueva de cosas, objetos o acciones.
Ejemplos: ¿Qué le pongo?/¿Qué haces los fines de semana?

→ Se utiliza el pronombre *cuál* para preguntar por un objeto de una misma categoría. **Ejemplo:** ¿Cuál de los dos vestidos te gusta más?

→ Se utiliza el pronombre *cómo* para preguntar por las características de alguien o de algo. **Ejemplo:**
—¿Cómo es tu habitación?
—Tiene muchos colores.

→ Se utiliza *dónde* para preguntar por la ubicación de algo o de alguien. **Ejemplo:** ¿Dónde vives?

→ Se utiliza *cuándo* para preguntar por el momento en que tiene lugar una acción o un hecho. **Ejemplo:** ¿Cuándo vuelves a Sevilla?

→ Se utiliza *quién* para preguntar por personas. **Ejemplo:** ¿Quién es ese chico con bigote?

→ Se utiliza *por qué* para preguntar por la causa de algo. **Ejemplo:** ¿Por qué me miras de esa forma?

18 Estar + Gerundio

→ Se utiliza *estar* + gerundio para hablar de una acción en proceso que tiene lugar en el momento de hablar.
Ejemplos: —¿Vienes al cine?
—Es que estoy estudiando.

—¿Quiere algo?
—No, gracias, solo estoy mirando.

→ Algunos gerundios son irregulares:
• Atención si aparecen dos vocales juntas:
  leer → leyendo   oír → oyendo
• Atención a algunos verbos irregulares:
  e → i (*decir* → *diciendo*)
  o → u (*dormir* → *durmiendo*)

19 Comparar

19.1. Superioridad

más +	nombre adjetivo adverbio	+ que

oración	+	más que	+	oración

Ejemplos:
Alberto tiene más dinero que yo.
Marcos es más tranquilo que María.
Carlos camina más deprisa que yo.

Ejemplo: Voy al cine más que salgo al teatro.

➡ En estas oraciones puede haber elementos que no aparecen en la frase. **Ejemplos:**
Voy al cine más que (voy) al teatro.
El chocolate me gusta más que (me gusta) el queso.
Me gusta ir al campo más que (me gusta ir) a la montaña.
Ahora salgo más que (salía) antes.

19.2. Inferioridad

más +	nombre adjetivo adverbio	+ que

oración	+	menos que	+	oración

Ejemplos:
Tengo menos trabajo que el año pasado.
José es menos simpático que su hermana.
Carlos camina menos deprisa que yo.
Voy al cine menos que salgo al teatro.

➡ En estas oraciones puede haber elementos que no aparecen en la frase. **Ejemplos:**
Voy al cine menos que (voy) al teatro.
El chocolate me gusta menos que (me gusta) el queso.
Me gusta ir al campo menos que (me gusta ir) a la montaña.
Ahora salgo menos que (salía) antes.

19.3. Igualdad

tan +	adjetivo adverbio	+ como

tanto/a/os/as +	nombre	+ como

verbo +	tanto	+ como

Ejemplos:
Este coche es tan rápido como el otro.
Carlos camina tan deprisa como yo.
Pedro lee tantos libros como tú.
María trabaja tanto como tú.

19.4. Comparativos especiales

bueno/bien	mejor
malo/mal	peor
grande	mayor
pequeño	menor

Ejemplos:
Es el hermano menor de Juan.
Tu idea es mejor que la mía.

19.5. Superlativo absoluto

El superlativo absoluto se utiliza para expresar el grado máximo.

• Las formas del superlativo absoluto son:

→ *Muy* + adjetivo. **Ejemplo:** Esta paella está muy buena.

→ Añadiendo al adjetivo las terminaciones –ísimo/a/os/as. **Ejemplo:** Esta paella está buenísima.

20 Pretérito perfecto

20.1. Verbos regulares

he has ha hemos habéis han	+ participio

infinitivo	participio	ejemplos
–ar	–ado	hablar → hablado
–er –ir	–ido	comer → comido venir → venido

20.2. Verbos irregulares

→ Algunos participios irregulares:

ver → visto	abrir → abierto
escribir → escrito	romper → roto
volver → vuelto	hacer → hecho
poner → puesto	decir → dicho
morir → muerto	haber → habido

➡ El participio no presenta variación de género ni de número. **Ejemplo:** *Nosotras hemos cocinado hoy.* (*Nosotras hemos ~~cocinadas~~*).

➡ El auxiliar y el participio deben aparecer juntos, no puede intercalarse entre ellos ninguna palabra. **Ejemplo:** *¿Has ~~alguna vez~~ estado en París?*

20.3. Usos del pretérito perfecto

→ Puede ir acompañado de las siguientes palabras y expresiones temporales: *Hoy, este mes/año/…, esta mañana/semana/…, alguna vez, nunca…*

Ejemplos:

¿Has estado <u>alguna vez</u> en Toledo? / <u>Este año</u> no hemos ido de vacaciones.

→ Para hablar de acciones o de sucesos pasados que la persona quiere relacionar con el momento presente. **Ejemplos:**

¿Has visto a Fernando? / Sí, esta mañana <u>he desayunado</u> con él.

→ Para hablar de experiencias o actividades pasadas sin concretar el momento en el que han sucedido. **Ejemplo:**

—¿<u>Has probado</u> alguna vez las natillas? / —Un par de veces, ¡me encantan!

→ Para valorar una experiencia. **Ejemplo:** La conferencia <u>ha sido</u> muy interesante.

→ Cuando la persona que habla piensa que lo que dice ha sucedido utiliza el pretérito perfecto introducido por la palabra *ya*. **Ejemplo:** ¿<u>Ya has visto</u> la última película de Amenábar?

Si en la respuesta, la otra persona utiliza *todavía no*, indica que no lo ha hecho, pero que tiene intención <u>de hacerlo</u>. **Ejemplo:**

—¿Ya has visto la última película de Amenábar? —<u>Todavía no</u>, me gustaría ir este fin de semana.

➡ En algunas zonas de España y en gran parte de Iberoámerica no se utiliza el pretérito perfecto. En su lugar se utiliza el pretérito indefinido (*fui, hablé…*)

21 Pronombres personales de complemento directo e indirecto

21.1. Directos

	1ª persona	2ª persona	3ª persona
singular	me	te	lo/la/le*
plural	nos	os	los/las

Ejemplo: —¿Sabes dónde está el informe? / —<u>Lo</u> tiene Juan en su mesa.

*Le se usa para un CD referido a persona masculino.

21.2. Indirectos

	1ª persona	2ª persona	3ª persona
singular	me	te	le
plural	nos	os	les

Ejemplo: —¿Tiene ya Juan el informe? / —Ahora <u>le</u> doy el informe, no te preocupes.

21.3. Posición de los pronombres

→ Se colocan siempre delante del verbo. **Ejemplo:** ¿Tienes el periódico?/Sí. Ahora <u>te lo</u> doy.

➡ Con el imperativo afirmativo, el pronombre va detrás y forma con él una palabra. **Ejemplo:** —¿Me prestas el diccionario? / —Claro, <u>cógelo</u>.

→ Con el infinitivo y con el gerundio los pronombres pueden ir:

- Detrás, formando una sola palabra: *Está escribiéndola (la carta).*
- Delante, separado de la forma verbal: *La está escribiendo (la carta).*

→ El pronombre *le/les* cambia a *se* cuando aparece delante de *le/lo/los/las*. **Ejemplo:** *No sé si darle ahora el informe a Sandra. / Mejor, se lo daré más tarde.*

Más información sobre pronombres con preposición

Los pronombres con preposición pueden realizar distintas funciones (además de la de CD y CI en el caso de la preposición *a* + un pronombre).

Formas			
	1ª persona	**2ª persona**	**3ª persona**
singular	*(a/para/ por...)* mí	*(a/para/ por...)* ti	*(a/para/ por/con...)* él, ella, ello
plural	*(a/para)* nosotros	*(a/para)* vosotros	*(a/para)* ellos/ellas

→ Con la preposición *con* se utilizan las siguientes formas contractas.

con + mí → conmigo: ¿Vienes conmigo al cine?
con + ti → contigo: ¿Ayer cenó Mercedes contigo?

Algunos usos de los pronombres con preposición

→ Para expresar una opinión. **Ejemplo:** Para mí, todo esto es un error.

→ Para expresar el destinatario. **Ejemplo:** Este regalo es para ti.

22 Verbo *doler*

→ El verbo *doler* es irregular:

me te le nos os les	+ *duele*	+ nombre

Ejemplos:
Me duele la cabeza.
Me duelen los pies de tanto andar.

➡ La estructura del verbo *doler* es igual que la de los verbos *encantar* y *gustar*. (Consulta el apartado 9, página 117 para recordar las formas y los usos de los verbos *gustar* y *encantar*)

23 Imperativo

23.1. Imperativo afirmativo. Formas regulares

hablar	*beber*	*escribir*
habla	*bebe*	*escribe*
hable	*beba*	*escriba*
hablad	*bebed*	*escribid*
hablen	*beban*	*escriban*

➡ La forma del imperativo de la segunda persona del plural (*vosotros*) pierde la *d* en los verbos reflexivos. **Ejemplo:** Luisa, Miguel, lavad los platos, por favor. / Luisa, Miguel, lavaos las manos, por favor.

➡ En la lengua oral algunos hablantes sustituyen la segunda persona del plural por el infinitivo. Este uso es incorrecto en lengua escrita. **Ejemplo:** Paco, Marta, subir a la biblioteca, por favor.

23.2. Imperativos irregulares en las personas *tú* y *usted*

→ Fíjate en las formas para *tú* y *usted* del imperativo de los verbos *salir* (sal, salga), *tener* (ten, tenga), *poner* (pon, ponga), *hacer* (haz, haga), *decir* (di, diga) y *venir* (ven, venga).

→ Los verbos irregulares por cambio vocálico en el presente de indicativo presentan la misma irregularidad en las personas *tú* y *usted* del imperativo. Para revisar las formas irregulares del presente de indicativo, consulta la tabla de verbos (páginas 124-127).

23.3. Imperativo negativo. Formas regulares

hablar	*beber*	*escribir*
no hables	*no bebas*	*no escribas*
no hable	*no beba*	*no escriba*
no habléis	*no bebáis*	*no escribáis*
no hablen	*no beban*	*no escriban*

Ejemplo: María, no hables tan alto por favor, que me duele la cabeza.

➡ Para revisar las formas del imperativo negativo, consulta la tabla de verbos (páginas 124-127).

23.4. Imperativos irregulares en las formas negativas

venir	salir	ir	ser
no vengas	no salgas	no vayas	no seas
no venga	no salga	no vaya	no sea
no vengáis	no salgáis	no vayáis	no seáis
no vengan	no salgan	no vayan	no sean

Ejemplo: María, Alfonso, hasta luego. ¡No vengáis tarde! ¿Vale?

23.5. Posición de los pronombres de CD y CI con imperativo

➡ Revisa la posición de los pronombres personales de complemento directo e indirecto con el imperativo (ver apartado 21, página 120).

23.6. *Si* para dar consejos con imperativo

→ En español, el imperativo puede utilizarse dar consejos. **Ejemplo:** Si quieres tener buena salud, haz ejercicio y come mucha fruta.

24 Pretérito indefinido

24.1. Formas regulares

viajar	conocer	vivir
viajé	conocí	viví
viajaste	conociste	viviste
viajó	conoció	vivió
viajamos	conocimos	vivimos
viajasteis	conocisteis	vivisteis
viajaron	conocieron	vivieron

24.2. Irregulares

➡ Para revisar las formas del pretérito indefinido, consulta la tabla de verbos (páginas 124-127).

24.3. Usos

→ Para referirse a acciones del pasado que el hablante no relaciona con el momento presente. Suele utilizarse con expresiones como *el año pasado, el mes pasado, ayer, la semana pasada, anoche, la primera vez…* **Ejemplo:** El año pasado no fui de vacaciones.

→ Para informar sobre hechos que sucedieron en el pasado. **Ejemplo:** En 1992 se celebraron los Juegos Olímpicos en Barcelona y la Exposición Universal en Sevilla.

→ Para valorar un hecho sucedido en el pasado. **Ejemplo:** La fiesta de anoche fue muy divertida.

➡ El uso del pretérito indefinido está más extendido que el del pretérito perfecto. En muchos lugares de España y de Iberoamérica el pretérito perfecto se sustituye por el indefinido. **Ejemplo:** Esta mañana me levanté temprano.

25 Perífrasis de infinitivo

Las perífrasis son estructuras formadas por dos verbos. El primero aparece conjugado y el segundo aparece en infinitivo: **Ejemplo:** Esta semana pienso ir al cine.

→ Algunas de las perífrasis más habituales son:

• Para hablar de planes se utiliza *ir + a + infinitivo*: **Ejemplo:** La próxima semana voy a estudiar dos horas al día.

• Para expresar el propósito de realizar una acción se utiliza *pensar + infinitivo*: **Ejemplo:** Este año pienso sacarme el carné de conducir.
• Para sugerir actividades o invitar se utiliza *apetecer + infinitivo*: **Ejemplo:** ¿Te apetece venir al cine?
• Para expresar intención o deseos de hacer algo o se utiliza *querer + infinitivo*: **Ejemplo:** Esta noche quiero cenar tranquilamente y leer un buen libro

26.1. Formas regulares

hablar	comer	vivir
hablaba	comía	vivía
hablabas	comías	vivías
hablaba	comía	vivía
hablábamos	comíamos	vivíamos
hablabais	comíais	vivíais
hablaban	comían	vivían

26.2. Formas irregulares

Solo existen tres verbos irregulares en este tiempo: *ser, ir* y *ver*. Para revisar las formas irregulares del pretérito imperfecto, consulta la tabla de verbos (página 127).

ser	ir	ver
era	iba	veía
eras	ibas	veías
era	iba	veía
éramos	íbamos	veíamos
erais	ibais	veíais
eran	iban	veían

26.3. Usos

→ Para describir objetos, personas, animales, situaciones, etc. en el pasado. **Ejemplo:** *Recuerdo que la habitación era grande y tenía una cama de madera.*

→ Para expresar hábitos en el pasado. **Ejemplo:** *De pequeña iba de vacaciones a la playa.*

→ Para solicitar una acción o pedir un objeto de manera cortés. **Ejemplo:** *Quería probarme esos pantalones.*

→ Precedido del adverbio *antes* indica una oposición con el momento presente. **Ejemplo:** *Antes siempre llevaba pantalones vaqueros* (ahora no los llevo con tanta frecuencia).

→ Para contextualizar un suceso. **Ejemplo:** *Estaba en casa cuando me dieron la noticia.*

→ El pretérito imperfecto puede ir acompañado de:

normalmente	de joven de pequeño/a
habitualmente	en aquellos días/años/tiempos
frecuentemente	en aquella época
siempre	antes
todos los días	ese día/año
entonces	en los años…

Ejemplo: *En los años sesenta había menos canales de televisión.*

VERBOS REGULARES

INDICATIVO

	PRESENTE	PRETÉRITO INDEFINIDO	PRETÉRITO IMPERFECTO	PRETÉRITO PERFECTO
trabajar	trabajo trabajas trabaja trabajamos trabajáis trabajan	trabajé trabajaste trabajó trabajamos trabajasteis trabajaron	trabajaba trabajabas trabajaba trabajábamos trabajabais trabajaban	he trabajado has trabajado ha trabajado hemos trabajado habéis trabajado han trabajado
comer	como comes come comemos coméis comen	comí comiste comió comimos comisteis comieron	comía comías comía comíamos comíais comían	he comido has comido ha comido hemos comido habéis comido han comido
vivir	vivo vives vive vivimos vivís viven	viví viviste vivió vivimos vivisteis vivieron	vivía vivías vivía vivíamos vivíais vivían	he vivido has vivido ha vivido hemos vivido habéis vivido han vivido

IMPERATIVO

IMPERATIVO AFIRMATIVO

trabajar	comer	vivir
trabaja trabaje trabajad trabajen	come coma comed coman	vive viva vivid vivan

IMPERATIVO NEGATIVO

trabajar	comer	vivir
no trabajes no trabaje no trabajéis no trabajen	no comas no coma no comáis no coman	no vivas no viva no viváis no vivan

FORMAS NO PERSONALES

	INFINITIVO	GERUNDIO	PARTICIPIO	PARTICIPIOS IRREGULARES					
trabajar **comer** **vivir**	trabajar comer vivir	trabajando comiendo viviendo	trabajado comido vivido	**ver** **escribir** **volver**	visto escrito vuelto	**poner** **abrir** **romper**	puesto abierto roto	**hacer** **decir** **morir**	hecho dicho muerto

VERBOS IRREGULARES

e → ie	PRESENTE	IMPERATIVO AFIRMATIVO	IMPERATIVO NEGATIVO	GERUNDIO
cerrar	cierro cierras cierra cerramos cerráis cierran	 cierra cierre cerrad cierren	 no cierres no cierre no cerréis no cierren	cerrando
despertar(se)	(me) despierto (te) despiertas (se) despierta (nos) despertamos (os) despertáis (se) despiertan	 despierta (despiértate) despierte (despiértese) despertad (despertaos) despierten (despiértense)	 no (te) despiertes no (se) despierte no (os) despertéis no (se) despierten	despertando (se)
empezar	empiezo empiezas empieza empezamos empezáis empiezan	 empieza empiece empezad empiecen	 no empieces no empiece no empecéis no empiecen	empezando
pedir	pido pides pide pedimos pedís piden	 pide pida pedid pidan	 no pidas no pida no pidáis no pidan	pidiendo
preferir	prefiero prefieres prefiere preferimos preferís prefieren	 prefiere prefiera preferid prefieran	 no prefieras no prefiera no prefiráis no prefieran	prefiriendo

VERBOS IRREGULARES

o → ue	PRESENTE	IMPERATIVO AFIRMATIVO	IMPERATIVO NEGATIVO	GERUNDIO
acostar(se)	(me) acuesto (te) acuestas (se) acuesta (nos) acostamos (os) acostáis (se) acuestan	acuesta (acuéstate) acueste (acuéstese) acostad (acostaos) acuesten (acuéstense)	no (te) acuestes no (se) acueste no (os) acostéis no (se) acuesten	acostando (se)
aprobar	apruebo apruebas aprueba aprobamos aprobáis aprueban	aprueba apruebe aprobad aprueben	no apruebes no apruebe no aprobéis no aprueben	aprobando
almorzar	almuerzo almuerzas almuerza almorzamos almorzáis almuerzan	almuerza almuerce almorzad almuercen	no almuerces no almuerce no almorcéis no almuercen	almorzando
dormir	duermo duermes duerme dormimos dormís duermen	duerme duerma dormid duerman	no duermas no duerma no durmáis* no duerman	durmiendo
llover	llueve			lloviendo
oler	huele hueles huele olemos oléis huelen	huele huela oled huelan	no huelas no huela no oláis no huelan	oliendo
poder	puedo puedes puede podemos podéis pueden			pudiendo
recordar	recuerdo recuerdas recuerda recordamos recordáis recuerdan	recuerda recuerde recordad recuerden	no recuerdes no recuerde no recordéis no recuerden	recordando
volver	vuelvo vuelves vuelve volvemos volvéis vuelven	vuelve vuelva volved vuelvan	no vuelvas no vuelva no volváis no vuelvan	volviendo

u → ue	PRESENTE	IMPERATIVO AFIRMATIVO	IMPERATIVO NEGATIVO	GERUNDIO
jugar	juego juegas juega jugamos jugáis juegan	juega juegue jugad jueguen	no juegues no juegue no juguéis no jueguen	jugando

VERBOS IRREGULARES

c → zc	PRESENTE	IMPERATIVO AFIRMATIVO	IMPERATIVO NEGATIVO	GERUNDIO
conocer	conozco conoces conoce conocemos conocéis conocen	conoce conozca conoced conozcan	no conozcas no conozca no conozcáis no conozcan	conociendo
conducir	conduzco conduces conduce conducimos conducís conducen	conduce conduzca conducid conduzcan	no conduzcas no conduzca no conduzcáis no conduzcan	conduciendo
traducir	traduzco traduces traduce traducimos traducís traducen	traduce traduzca traducid traduzcan	no traduzcas no traduzca no traduzcáis no traduzcan	traduciendo

VERBOS CON OTRAS IRREGULARIDADES

	PRESENTE	INDEFINIDO	IMPERFECTO	PRETÉRITO PERFECTO	IMPERATIVO	IMPERATIVO NEGATIVO	PARTICIPIO	GERUNDIO
andar	ando andas anda andamos andáis andan	anduve anduviste anduvo anduvimos anduvisteis anduvieron	andaba andabas andaba andábamos andabais andaban	he andado has andado ha andado hemos andado habéis andado han andado	 anda ande andad anden	 no andes no ande no andéis no anden	andado	andando
dar	doy das da damos dais dan	di diste dio dimos disteis dieron	daba dabas daba dábamos dabais daban	he dado has dado ha dado hemos dado habéis dado han dado	 da dé dad den	 no des no dé no deis no den	dado	dando
decir	digo dices dice decimos decís dicen	dije dijiste dijo dijimos dijisteis dijeron	decía decías decía decíamos decíais decían	he dicho has dicho ha dicho hemos dicho habéis dicho han dicho	 di diga decid digan	 no digas no diga no digáis no digan	dicho	diciendo
estar	estoy estás está estamos estáis están	estuve estuviste estuvo estuvimos estuvisteis estuvieron	estaba estabas estaba estábamos estabais estaban	he estado has estado ha estado hemos estado habéis estado han estado	 está esté estad estén	 no estés no esté no estéis no estén	estado	estando

VERBOS CON OTRAS IRREGULARIDADES

	PRESENTE	INDEFINIDO	IMPERFECTO	PRETÉRITO PERFECTO	IMPERATIVO	IMPERATIVO NEGATIVO	PARTICIPIO	GERUNDIO
hacer	hago haces hace hacemos hacéis hacen	hice hiciste hizo hicimos hicisteis hicieron	hacía hacías hacía hacíamos hacíais hacían	he hecho has hecho ha hecho hemos hecho habéis hecho han hecho	haz haga haced hagan	no hagas no haga no hagáis no hagan	hecho	haciendo
haber	he has ha/hay hemos habéis han	hube hubiste hubo hubimos hubisteis hubieron	había habías había habíamos habíais habían	he habido has habido ha habido hemos habido habéis habido han habido			habido	habiendo
ir	voy vas va vamos vais van	fui fuiste fue fuimos fuisteis fueron	iba ibas iba íbamos ibais iban	he ido has ido ha ido hemos ido habéis ido han ido	ve vaya id vayan	no vayas no vaya no vayáis no vayan	ido	yendo
leer	leo lees lee leemos leéis leen	leí leíste leyó leímos leísteis leyeron	leía leías leía leíamos leíais leían	he leído has leído ha leído hemos leído habéis leído han leído	lee lea leed lean	no leas no lea no leáis no lean	leído	leyendo
saber	sé sabes sabe sabemos sabéis saben	supe supiste supo supimos supisteis supieron	sabía sabías sabía sabíamos sabíais sabían	he sabido has sabido ha sabido hemos sabido habéis sabido han sabido	sé sepa sabed sepan	no sepas no sepa no sepáis no sepan	sabido	sabiendo
ser	soy eres es somos sois son	fui fuiste fue fuimos fuisteis fueron	era eras era éramos erais eran	he sido has sido ha sido hemos sido habéis sido han sido	sé sea sed sean	no seas no sea no seáis no sean	sido	siendo
poder	puedo puedes puede podemos podéis pueden	pude pudiste pudo pudimos pudisteis pudieron	podía podías podía podíamos podíais podían	he podido has podido ha podido hemos podido habéis podido han podido			podido	pudiendo
venir	vengo vienes viene venimos venís vienen	vine viniste vino vinimos vinisteis vinieron	venía venías venía veníamos veníais venían	he venido has venido ha venido hemos venido habéis venido han venido	ven venga venid vengan	no vengas no venga no vengáis no vengan	venido	viniendo
abrir	abro abres abre abrimos abrís abren	abrí abriste abrió abrimos abristeis abrieron	abría abrías abría abríamos abríais abrían	he abierto has abierto ha abierto hemos abierto habéis abierto han abierto	abre abra abrid abran	no abras no abra no abráis no abran	abierto	abriendo

ASÍ ME GUSTA 1. **Curso de español**
© Autores: **Carme Arbonés, Vicenta González, Estrella López y Miquel Llobera**
Apéndice Formas y funciones y tablas de verbos: **Begoña Montmany**

Director de ediciones: **Josep Maria Mas**
Director académico ELE: **Miquel Llobera**
Editora responsable ELE: **Pilar García García**
Editora ELE: **Nuria Vaquero Ibarra**
Revisores del texto en español: **Mercedes Serrano Parra, Gala Arias Rubio**
Revisores de los textos en japonés y árabe: **Mónica Castelló, Juan Ignacio Pérez Alcalde**

Concepción gráfica: **Zoográfico, S. L.**
Maquetación: **Evolution, S. L.**
Ilustraciones: **Beatriz de Pedro, Jaume Bosch, Juliana Serri, Pepe Pardo, Haciendo el león, Vicente Baztán, Maite Ramos**
Grabación: **Fonográficas Damitor, S. L.**

Los autores quieren expresar especialmente su agradecimiento a todas aquellas personas que les quieren y que les han dado tiempo y apoyo para este proyecto.

Los autores y la editorial quieren expresar su agradecimiento a las siguientes personas y entidades por su contribución en el desarrollo de Así me gusta 1:

Informes de adecuación de la propuesta: **María Luisa Coronado, María Luisa Alarcón, Álvaro García Santa Cecilia, Pilar Salamanca y Claudia Jacobi**

Experimentación: **Jovi Díaz, María Lluïsa Sabater, Marjo Eurlings, María Angélica Silva Camus y Talita Aguilar**

Fotografías:
Archivos fotográficos: Contacto: (Casa Rosada, Pictor / Contacto; Alejandro Sanz, AFP / Contacto; Penélope Cruz, AFP / Contacto; Béisbol Cuba, AFP / Contacto; Toro Osborne, AFP / Contacto; Parque Güel, Pictor / Contacto; Costa Blanca, Pictor / Contacto; Rojas Marcos, M. Velando / Contacto; Pedro Duque, AFP / Contacto; García Márquez, M. Merlin / G. Neri / Contacto; Bill Gates, AFP / Contacto; Desmond Tutu, Casilli / Team / G. Neri / Contacto; Khaled, AFP / Contacto; Noa, Scanziani / G. Neri / Contacto; Ronaldo, AFP / Contacto; Rigoberta Menchú, G. Neri / Contacto; Alejandro Toledo, AFP/Contacto; Cecilia Roth, AFP / Contacto; Pablo Milanés, Notimex / Contacto; Luis Miguel, Notimex / Contacto). Cover: (Lucrecia / Cover). **Fotógrafos:** Javier Vaquero.

Otros:
Restaurante Carmencita, Teresa Alfaro, Cup Iberia, Matías, actores Así son, Gala Arias, Embajada de Alemania, Embajada de Marruecos, Embajada de Guatemala, Casa regional de Galicia, Casa regional de Canarias, Casa regional de Murcia, Clara Miki, Karim, Juan Manuel Villalobos, Eugenia Saddakni, Jese Rosenthal, Restaurante cubano Zara, Restaurante chino Los leones, etc.